和歌・短歌のすすめ

新撰百人一首

谷知子・島村輝 編

花鳥社

はじめに

やまと歌の起こり、そのきたれること遠いかな。（『古来風躰抄《こらいふうていしょう》』）
（和歌の起源、そのたどってきた歴史は、はるか遠いことだなあ）

藤原俊成《しゅんぜい》（平安時代後期の歌人、定家《ていか》の父）は、和歌の歴史がはるか遠い昔から続いていると言った後、「そのことば、万代《よろづよ》に朽ちず（和歌のことばは、永遠に朽ちることがありません）」と断言しています。和歌は、俊成が言うように、未来永劫朽ちることはないのでしょうか。その答えは、現代の私たちにかかっていると思います。

鎌倉時代初期に、『百人一首』という歌集が作られました。『百人一首』は、現代でも小学生から大人まで、知らない人はほとんどいないでしょう。美術や演劇、競技かるた、食品（竜田揚げなど）、現代では漫画・アニメ・ゲームなど、豊かな広がりを見せながら、受け継がれてきたのです。『百人一首』の魅力は、百の人生・百の心が、三十一文字の短くも素敵なことばに彩られて、ショーケースのように並んでいるところにあると思います。この書を読んでいると、心の持ち方が自然と形づくられていく、それも型にはめられるというよりも、ゆったりとある方向に誘われていきます。

まさに和歌、芸術の力です。

和歌・短歌は、五七五七七という定型の文学です。さらに、古典和歌には、掛詞や縁語など、いくつかのお約束があって、難しいという印象を持つ方がいるかもしれません。しかし、古典和歌の約束ごとや特徴の基本を身につけることは、それほど困難なことではないのです。その入り口のところで引き返してしまう方がいたら、それはとても残念なこと。本質的なところを理解すれば、さらにその先の深くて豊かな世界を知ることができると思うからです。

日本の和歌・短歌の魅力を現代に、そして未来へと伝えたい。新しい時代の百人一首を作ってみたい。本書は、そうした強い願いから企画され、誕生しました。まずは、フェリス女学院大学文学部日本語日本文学科の教員・学生に、好きな和歌・短歌を公募し、百首を撰ぶ「和歌所《わかどころ》」を設置しました。さらに和歌・短歌の世界をビジュアルで表現したらどうなるのか、和歌・短歌とイラストのコラボレーションを企画し、「絵所《えどころ》」を設置、絵を得意とする学生にイラストを依頼しました。撰ばれた百首は、古代の須《す》佐《さ》之《の》男命《おのみこと》から現代のセーラー服の歌人・鳥居《とりい》まで、和歌・短歌の歴史をかたどっています。

和歌は、近代になって短歌と呼び名を変えます。五七五七七の三十一文字が基本の形であることに変わりはないのですが、和歌の革新運動によって新しい風が吹きこまれます。本書には近現代短歌史上に著名な歌人の名作ばかりでなく、宝塚歌劇を詠んだ歌やアーサー・ビナードの歌など、今日に生きる詩形として現代を鮮やかに映しだす作品も収録しました。

百首が確定したところで、百首全てにそれぞれの専門を生かした多彩な解説を施し、さらに和歌・短歌を理解するうえで重要な事項をコラムとしました。高校・大学などの教育現場でも活用していただけるように、網羅的な内容となっています。また、各所に本学学生作のイラストを配置して、和歌・短歌の世界をイメージできるように、工夫を凝らしました。

和歌・短歌の魅力が現代に、そして未来に受け継がれてゆきますように、そんな願いを込めて、今世に送り出します。

（谷　知子）

目次

中古――平安時代

中世――平安時代末期（院政期）・鎌倉・南北朝・室町・安土桃山時代

本書のイラストは、フェリス女学院大学文学部日本語日本文学科学生が制作した。担当は次のとおり。

p8 額田王――佐藤真帆
p15 大伴旅人――佐藤真帆
p31 かぐや姫――栗原利美
p37 小野篁――長屋多瑛
p40 在原業平――杉崎愛
p71 源順――栗原利美
p89 光源氏――杉崎愛
p124 源頼朝――長屋多瑛

p127 静御前――栗原利美
p135 藤原家隆――杉崎愛
p154 上杉謙信――栗原利美
p172 良寛――佐藤真帆
p177 坂本龍馬――佐藤真帆
p211 馬場あき子――杉崎愛
p220 鳥居――長屋多瑛

【凡例】

一　本書は、『小倉百人一首』（本書では『百人一首』と呼ぶ）にならい、上代から近現代までの秀歌、長く愛されてきた歌、有名な人物の歌、様々な観点から重要な意味を持つ歌を、物語中の人物の歌も含めて百首撰定し、ほぼ時代順に配列した。生年、詠歌時期、主に活躍した時代などを勘案しつつ、流れやまとまりも重視している。

二　上代～近世の和歌八〇首の本文・歌番号は、『新編国歌大観』（角川書店）を基本とする。
『新編国歌大観』以外の本文・歌番号の出典は次のとおりである。

1～12・28・52・63・69・71・75・80　『新編日本古典文学全集』（小学館）
20　横山正校注・訳『日本古典文学全集45　浄瑠璃集』（小学館）
33　『大日本古記録　小右記』5（岩波書店）
65　黒川真道編『越後史集』（国史研究会）
73　岩本活東子編『燕石十種』（中央公論社）
76　『校註国歌大系』第15巻（講談社）
77　『象山全集』巻2（信濃毎日新聞）
78　『坂本龍馬全集』増補四訂版（光風社出版）
79　江島茂逸編『高杉晋作略伝―入筑始末―』（団々社書店）

三　近現代の短歌二〇首の本文の出典は次のとおりである。
81　『森鷗外全集』第11巻（岩波書店）
82　『夏目漱石全集』第17巻（岩波書店）

83　矢澤孝子『宝塚叢書第三編　湯気のかく絵』（宝塚少女歌劇団出版部）
84　大岡信編『窪田空穂歌集』（岩波文庫・岩波書店）
85　『定本・与謝野晶子全集』第1巻（講談社）
86　『白秋全集』第6巻（岩波書店）
87　『齋藤茂吉全集』第5巻（岩波書店）
88・89・90　『鑑賞日本現代文学』32『現代短歌』（角川書店）
91　『岡本かの子全集』第9巻（ちくま文庫・筑摩書房）
92　『宮澤賢治全集』第3巻（ちくま文庫・筑摩書房）
93　『湯川秀樹歌文集』（講談社文芸文庫・講談社）
94・97　『昭和文学全集』35『昭和詩歌集』（小学館）
95　馬場あき子『南島』（雁書館）
96　谷知子『天皇たちの和歌』（角川選書・KADOKAWA）
98　俵万智・奥宮誠次（写真）『風が笑えば』（中央公論新社）
99　アーサー・ビナード『空からやってきた魚』（草思社）
100　鳥居『キリンの子』（KADOKAWA）

四　和歌・短歌は、読みやすさを考慮して、漢字をあてるなど、適宜表記を改めた。

五　和歌・短歌を理解するうえで重要な事柄をコラムとして執筆し、関連する和歌・短歌の前後に配置した。

六　和歌・短歌の解説・コラムの執筆者は、それぞれ末尾に記した。

上代——大和・奈良時代

1

八《や》雲《くも》立《た》つ出雲《いづも》八重垣《やへがき》妻籠《つまご》みに
八重垣《やへがき》作《つく》るその八重垣《やへがき》を

（八雲立つ）出雲の八重垣。妻をこもらせるための宮を幾重にも取り囲む八重垣を作るよ。ああ、その立派な八重垣よ。

（『古事記』上巻・歌謡1）

須佐之男命《すさのおのみこと》

須佐之男命は『古事記』や『日本書紀』の神話に登場する英雄神で、八俣《やまた》の大蛇《おろち》（八頭・八尾の大蛇）を退治して櫛名田比売《くしなだひめ》（水田の女神）を救います。そして、その比売《ひめ》を妻として迎え、ともに住まう宮を建てる際に歌ったのがこの歌だと伝えられています。この歌は神話に初めて現れる三十一文字《みそひともじ》の歌で、『古今和歌集』の「仮名序」でも地上での和歌の始発と位置づけられています。

「八雲立つ」は「出雲」に掛かる枕詞（コラムp55）で、当時は大地の生命力と考えられていた雲が幾重にも湧き立つ様子をもって出雲（島根県）の地を賛美する意を添えています。

この歌では、幾重にも重なる雲という自然現象から歌い起こし、それがそのまま人（神）が作る宮の八重垣へと重ねあわされて転換していきます。和歌の表現構造の本質は自然の景物と人事との重ねにあります。この点を踏まえてみれば、なるほど和歌の始発にふさわしい歌です。

（松田　浩）

和歌とは

和歌は、五七五七七という定型が基本です。この定型がいつ生まれたのか、確かなことはわかっていませんが、初代勅撰《ちょくせん》和歌集『古今和歌集』「仮名序」は、天地開闢《かいびゃく》の時（イザナギ・イザナミ二神の結婚）に歌は生まれたとしています。

　この歌、天地《あめつち》の開け始まりける時より出《い》で来にけり。

このときの歌とは、次のやりとりです。

　あなにやし、えをとめを（まあ、なんていい女だろう）

あなにやし、えをとこを（まあ、なんていい男でしょう）

（『古事記』上巻）

三十一文字には至りませんが、たしかに五音が繰り返されています。そして、相手を賛美する愛のことばです。この後二神は交わり、子を産みます。まさに、非日常的な、ハレ（あらたまった特別な状態）の瞬間です。

　さらに、『古今和歌集』「仮名序」は、地上世界における和歌のルーツを須佐之男命《すさのおのみこと》に求めています。本書1番の歌をここでも『古事記』から引いてみましょう。

八雲《やくも》立つ出雲《いづも》八重垣《やへがき》妻籠《ご》みに八重垣作るその八重垣を

（『古事記』上巻・須佐之男命）

高天原《たかまの》から出雲へと降臨した須佐之男命は、八俣《やまた》の大蛇《おろち》を退治し、櫛名田比売《くしなだひめ》と結婚します。その結婚宣言がこの一首なのです。現在の『古事記』で三十一文字の和歌が最初に登場する場面です。結婚というハレの瞬間を詠み、出雲の土地を賛美するという点で、先の二神の歌と共通しています。

　以上の例は、神話のお話です。現実には、『萬葉集』の最も古い歌が、七世紀の宮廷、舒明《じょめい》天皇の時代に作られた歌なので、おおよそこの頃に和歌のルーツを求めておくのが妥当でしょう。しかし、和歌が持つ特質は神話の時代から変わりません。ハレを題材とすること、賛美（理想）を詠むのが、和歌なのです。

　三十一文字という定型、ハレや理想を詠むことという特質は、和歌を日常から切り離し、特別なことばへと変質させます。日常的な言語とは一線を画すことによって和歌の「力」という、一種の信仰に近い位置を占めるという道のりは、始発の段階から用意されていたのです。

（谷　知子）

2

岩代《いはしろ》の浜松《はままつ》が枝《ゑ》を引《ひ》き結《むす》び
ま幸《さき》くあらばまたかへり見む

有間皇子《ありまのみこ》

岩代《いわしろ》の浜に生《お》うる松の枝を引き結んで、
もし恙《つつが》なく無事であったらまた帰ってきて再びこの松を見よう。

（『萬葉集』巻二・挽歌・一四一）

『萬葉集』の「挽歌《ばんか》」（人の死を悼《いた》む歌）の冒頭に配された一首です。

有間皇子は先帝の遺児で、今上《きんじょう》の斉明《さいめい》天皇の御子、中大兄皇子《なかのおおえのみこ》の皇位継承を脅《おびや》かす存在でした。そうした事情もあってのことでしょう。有間皇子は、天皇と中大兄皇子が牟婁温泉《むろのゆ》（和歌山県白浜町）へ行幸して都を留守にした際に謀反を唆《そそのか》され、すぐさまその罪によってとらえられてしまいます。そして死罪の宣告を受けるために天皇のもとへと送られる旅の途次、終着地の牟婁温泉を見はるかす岩代の海岸で詠んだのがこの歌です。

松の枝を結ぶのは旅の安全を祈願する習俗ですが、皇子にはそれがかなわぬ願いであることもわかっていたのでしょう。そのことは「ま幸くあらば」という仮定条件（未然形＋ば）にもよく現れています。そして数日の後、皇子は帰らぬ人となりました。時に、数え年一九歳の冬のことでした。

（松田　浩）

有間皇子

『萬葉集』には、有間皇子が自らが死地に赴くことを自覚しつつ詠んだ「結び松」の歌に引き続いて、後世の歌人たちがその悲劇に思いを馳せ、皇子の歌に応じた追和《ついわ》の歌々が収められています。

山上憶良《やまのうえのおくら》もまた、その追和の歌を歌った一人です。「ま幸《さき》くあらばまたかへり見む(無事であったら再び松の木を見よう)」と願った皇子の歌を踏まえて、憶良は、

天翔《あまがけ》りあり通《がよ》ひつつ見らめども人こそ知らね松は知るらむ　（『萬葉集』巻二・挽歌・一四五）

と歌っています。

私たち人間の目には見えないけれど、皇子の御魂は鳥のように天を駆けてこの松をいくたびも見ているこ とだろう。約束をした結び松だけは、その御魂の訪れがわかっていることだろう。

憶良は、たとえ有間皇子の身は失われてしまっても、魂だけはその願いを叶えているのだと歌って、皇子の魂を慰撫しています。事件からおよそ四〇年ほど後の歌です。それだけの年月を経てもなお、有間皇子の悲劇は語り継がれ、萬葉の歌人たちの心を捉えて離さなかったのです。

（松田　浩）

挽歌《ばんか》・相聞《そうもん》

『萬葉集』はおよそ「挽歌」「相聞」、そして、それ以外の歌を集めた「雑歌」という三つの部立《ぶだて》で歌が分類されています。

「挽歌」の原義は、柩《ひつぎ》を挽いて墓地へ向かうときにうたう歌のことですが、『萬葉集』では、主として人の死を悼《いた》み、悲しむ歌を集めた部立をいいます。「相聞」の原義はお互いに消息を交わす意で、『萬葉集』では個人間で贈答する歌を集めたものです。となれば、そのほとんどは恋歌《こいのうた》ということになります。

「挽歌」と「相聞」には、時として大変よく似通った表現が見られます。たとえば、「玉ならば手に巻き持ちて（もしあなたが玉だったら、手首に巻いてずっと離れずにいられるのに…）」という表現は、「挽歌」「相聞」いずれの歌にも使われています。

「挽歌」は死別、「相聞」は生別という違いこそあれ、いずれの場合も相手に会えないつらさ、恋しさを歌うものです。どちらも、その根底にある心は、あなたと離れている今が苦しく切ないという心情ですから、表現にも共通する点があるのですね。

（松田　浩）

3

君待《きみま》つと吾《あ》が恋《こ》ひ居《を》れば吾《わ》が宿《やど》の
簾《すだれ》動《うご》かし秋の風吹く

あなたがおいでになるのを待って私が恋しく思っていると、
私の家の簾を動かして、……秋の風が吹くばかり。

（『萬葉集』巻四・相聞・四八八）

額田王《ぬかたのおおきみ》

古典文学での「恋」は、愛する人に逢えないい時の、苦しく切ない思いです。現代語の「恋しい」気持が近いかもしれません。「宿の簾《すだれ》（家の戸口の簾）」が動くと「ああ、あなた、来てくれたのね」と待ち焦がれていた恋人が訪ね来てくれたと思ってしまいます。けれども、戸口に目を向けるとそこに恋人はいません。ただ秋風が簾を揺らしていただけのことだったのです。ほんの一瞬でも恋人の訪れの喜びを感じた後であるだけに、その落胆も一入《ひとしお》でしょう。その嘆きを「悲しい」とか「切ない」などと直接的にいうのではなく、「秋風が吹いている」という情景だけを描いて一首を閉じているところに余韻を感じさせる歌です。

この歌には二つの興味深い点があります。まず、第一に、この歌には中国六朝時代《りくちょうじだい》（三～六世紀）の漢詩との発想上のつながりが指摘されています。例えば、恋を主題として編まれた漢詩集『玉台新詠《ぎょくたいしんえい》』には、遠く離れた夫を寂しく待つ夫人の情景が、「清風《せいふう》 帷簾《ゐれん》を動かし、

晨月《しんげつ》 幽房《いうばう》を燭《て》らす（清らかな風が帷《とばり》の簾を動かし、夜明けの月が静かな部屋を照らしている）。」（張華《ちょうか》「情詩五首」）や、「秋風《あきかぜ》 窓裏《まどのうち》に入《い》り、羅帳《らちゃう》起《おこ》りて飄颻《へうやう》す（秋風が窓の内に吹き込み、羅《うすぎぬ》の帳《とばり》がひるがえる）。」（「近代呉歌」）のように描写する詩が見られます。一人で待つ部屋に簾や帳《とばり》を翻《ひるがえ》して風が空しく吹く様子は、この歌の情景とよく似ていますね。

額田王は、こうした夫を待つ漢詩（閨怨詩《けいえんし》といいます）の伝統を、日本の歌で表現しようとしたとも言えそうです。この歌が歌われた天智天皇の時代は、積極的に日本の文化に漢詩文を取り入れた、漢詩文隆盛の時期でした。そうした時代に生きた彼女の歌才が見事に活かされた歌だということができます。

そして、第二点は、姉妹の唱和《しょうわ》の妙《みょう》という点です。この歌には、続いて額田王の姉だと伝承される鏡女王《かがみのおおきみ》の歌が組み合わされています。

風をだに恋ふるは羨《とも》し風をだに来《こ》むとし待《ま》たば何か嘆かむ　（『萬葉集』巻四・四八九）

（風だけでも……。人を恋しく思えるのは羨ましいことです。せめて風だけでも、愛しいあの人が来るだろうと思って待てるのなら、何を嘆くことがありましょう。）

姉の歌の「風」は、その向こうに恋人や夫の存在を感じさせてくれる風です。日本には、古来、恋人のもとから吹いてくる風を、恋人の訪れの予兆とみる俗信がありました。鏡女王は、妹の歌った「風」をそうした風にとりなして、「私にはそんな風すら吹いていてくれないのだから、あなたはまだ幸せですよ」と唱和します。漢詩文の風と日本の俗信の風とを組み合わせた、機知に富んだ姉妹のやりとりですね。

この二首一組は、奈良時代には随分と人気があったようで、『萬葉集』の巻四だけでなく、巻八の「秋相聞（秋の恋歌）」の冒頭にも、もう一度収載されています。

（松田　浩）

額田王

4

石走《いはばし》る垂水《たるみ》の上《うへ》のさわらびの萌《も》え出《い》づる春になりにけるかも

志貴皇子《しきのみこ》

岩の上に水がほとばしる滝のほとりの蕨《わらび》が萌え出る春になったことだなあ。

（『萬葉集』巻八・春雑歌・一四一八）

「石走る」は、水が岩にぶつかってしぶきをあげることをいいます。「滝」や「垂水」にかかる枕詞としても使われますが、この歌では躍動感あふれる「垂水（滝のこと）」の描写となっています。

そして、そうした滝には聖なる力・生命力が宿るものと考えられていました。そのほとりで「さわらび（蕨《わらび》）」が土の中から萌え出てくるのです。

古来、若菜摘《わかなつ》みの対象ともなり、山菜としてもなじみのある蕨は、春に渦巻き状の新芽を土の中から現します。その渦状のさまは、土の中で小さく丸まってじっと閉じ籠もっていた蕨が、ようやく春を迎えてのびのびと芽を出すというさまを想像させますね。それは凝縮された生命力の発露ともいえるでしょう。そこに春の訪れを感じ取っているのがこの歌です。

この歌には「志貴皇子の懽《よろこ》びの歌」という題詞《だいし》がつけられています。生命力のみなぎる春の到来にふさわしい題ですね。

（松田　浩）

5

世間《よのなか》を憂《う》しとやさしと思へども
飛び立ちかねつ鳥にしあらねば

山上憶良《やまのうえのおくら》

この世の中を、思い通りにならぬ、つらいと、身も細るばかりに恥ずかしいと思うけれど、この地を捨ててどこかへ飛び去ることもできない。……鳥ではないのだから。

（『萬葉集』巻五・雑歌・八九三）

山上憶良はこの歌で「世間《よのなか》」を「憂《う》し（思い通りにならなくてつらい、苦しい気持）」、「やさ（優）し（身も細るほどに恥ずかしい）」と歌っていますす。では、その「世間」とはどのようなものだったのでしょう。実はこの歌は憶良の著名な作品でもある「貧窮問答歌《ひんきゅうもんどうか》」に添えられた短歌（「反歌《はんか》」といいます）で、この「世間」とは、「貧窮問答歌」の中に出てくる「世間」のことをいったものなのです。そこで、「貧窮問答歌」の内容に少々触れてみることにしましょう。

「貧窮問答歌」は、八二句にもわたる長歌で、「貧者《ひんじゃ》」とそれよりもさらに貧しい「窮者《きゅうしゃ》」の二人が問答をするという戯曲風ともいえそうなめずらしい形式で詠まれた歌です。

雪まじりの雨の降るある夜のこと。下級役人の「貧者」は、お酒も買えず酒滓《さけかす》をお湯で溶《と》いて飲み、体をあたためようとします。けれども、衣服は袖無しで、寒さに震えています。そこで「貧者」は、布団をかぶりながら、自分でさえもこんなに寒くて辛いのに、もっと貧しい人はどうやって生活しているのかと、「窮者」に問いかけます。

「窮者」は答えます。着ている服は破れ果て、寒さを防ぐ手だてもない。食事をつくるための竈《かまど》はクモの巣が張ったままで使われることもない。そんな中でも里長《りちょう》は税を出せ、賦役《ふえき》をせよと笞《むち》を持ってやってくる。……これが「世間」の道理というものなのか、と。

あまりにも辛く、苦しい奈良時代の農民の声ですね。

さて、「貧窮問答歌」をつくった憶良は、筑前国（福岡県北部）の国守という地位にありました。地方の役人たちの上に立ち、民を治める立場です。一般の民衆とは比較にならないほどに裕福だったと言えるでしょう。

そんな憶良が、「貧者」や「窮者」に寄り添う歌をつくれたのはなぜでしょうか。まず、「貧者」「窮者」には下級の役人から学問で身を起こして今に至った自分自身が投影されているのかもしれません。そしてまた、当時の法律である律令には、国司の任務として国内のようすを巡察することが定められていたことも、その理由の一つとなるでしょう。律令制度の根幹をなす儒教思想を深く学んでいた憶良もまた、その任にあたって生真面目に国内を見てまわったことでしょう。そこで自身の目で見、肌で感じた農民たちの悲しみと不条理への思いが、「貧窮問答歌」に歌われた「世間」ということばに結実しているのです。

長歌に付された反歌は、まさにその「貧者」と「窮者」との会話を聞いている憶良の台詞《せりふ》ともいうべきものです。憶良は、国守という自分の立場から、「窮者」が嘆く「世間」を評して「憂し（つらい）」、「やさし（恥ずかしい）」と歌っているのです。そして、たとえそうであっても、この世に生きる私たち人間には、どんなにつらい「世間」でも捨てて逃げることができないと嘆いているのです。

（松田　浩）

6

沫雪《あわゆき》のほどろほどろに降《ふ》り敷《し》けば
奈良《なら》の都《みやこ》し思ほゆるかも

大伴旅人《おおとものたびと》

沫のようにはかない雪が、まだら模様に地に降り敷くと、
奈良の都が思い起こされることよ。

（『萬葉集』巻八・冬雑歌・一六三九）

大伴旅人が九州全土を統括する大宰府《だざいふ》の帥《そち》（長官）として筑前国《ちくぜんのくに》（福岡県北部）に住んでいた時に詠んだ歌です。

旅人は神亀《じんき》四年（七二七）の末ごろ、大宰帥《だざいのそち》として九州に下り、およそ三年の年月を過ごしました。その間の冬のある日に、雪の降るさまを見つつ、都を恋しく思い起こして詠まれたのがこの歌です。

「沫雪」はあまり聞き慣れないことばですが、沫のようにすぐに消えてしまうはかない雪です。それが「ほどろほどろ」に降り敷いている景が歌われています。「ほどろ」は「はだら・はだれ」とも言い、今でいう「まだら（斑）」にあたることばです。雪が地面を覆い尽くすのではなく、うっすらとまだら模様に降る様子を詠む際にしばしば使われることばですが、これを二回重ねて「ほどろほどろに」雪が降ると表現したのは、万葉の歌人の中でも旅人ただ一人です。では、その表現からは何が読み取れるでしょうか。

例えば「くるくる」ということば。「くる」が二度繰り返されると、「くるり」と一度だけ回るのではなく、何度もくり返し回る様子になります。「くねくね」「ふらふら」などでもそうですね。それと同じように考えてみると、「はだらはだら」に雪が降るという表現からは、単にまだら模様に雪が降り敷くのではなく、はかない沫雪が地面にはらはらとまだらに降り、それがとけようとする間に、またその上にまだら模様を描きつつ重ねて雪が降ってくるという様子が目に浮かんできます。そこからは、作者である旅人が、ある程度の時間、それもじっと地面に視線を落としつつ、雪のうっすらと降り敷いてゆく様子を眺めていたということが読み取れますね。

そんなふうに雪を眺めていると故郷である奈良の都、平城京が思い起こされるというのです。都のあった奈良盆地は決して雪の多い地域ではありませんが、だからこそ雪の降った時にはその景色も印象に強く残るのでしょう。そして、その奈良の都よりもさらに降雪の少ない九州にあって、珍しく雪が降り敷いてゆくさまは、そうした故郷の雪景色を思い起こさせるのです。

旅人が大宰府に赴任したのは六三歳の時のこと。当時としては既に老境に達している年齢です。その年齢で住み慣れた都を離れて暮らすことには、心理的な負担もあったことでしょう。そのうえ、赴任の後間もなく、旅人はこの大宰府で最愛の妻を失ってしまうのです。妻との思い出は、故郷の奈良の都でのものばかり。この九州には妻を失った悲しい記憶が刻み込まれてしまいました。それ以来、旅人の歌には、老いの嘆きや都を求めて懐かしむ心がさまざまなかたちで現れるようになります。都にあっては中納言《ちゅうなごん》という要職で政治の中枢にいたという自負も、望京の念に拍車を掛けたことでしょう。雪を見ながら都を思う旅人の心にそうした様々な思いが去来していたのです。

（松田　浩）

山上憶良《やまのうえのおくら》

山上憶良は、農民の苦しみをその立場になって歌った「貧窮問答歌《ひんきゅうもんどうか》」で有名です。憶良自身は、筑前国守であり、貧窮とは無縁な生活をしているはずですが、そこで歌われる窮者《きゅうしゃ》の訴えは真に迫るものがあります。そのような表現が可能であったことには、憶良自身が苦労人であったということもあるでしょう。四十代にして未だ無位無姓という身分から、憶良はその学識によって遣唐使に任ぜられ、帰国後には、皇太子の家庭教師役（東宮侍講《とうぐうじこう》）を仰せつかるほどに出世します。自らの学問で身を立てた人物だったのです。

そうした憶良には、「貧窮問答歌」に限らず、誰かの立場になってその思いを代弁して歌ったという歌が数多くあります。例えば肥後(熊本)の若者が亡くなった際には、彼に代わって辞世の歌をつくり、彼の上官、大宰帥《だざいのそち》・大伴旅人《おおとものたびと》が妻を亡くしたときには、旅人に代ってその悲しみを、果ては、織姫《おりひめ》に代って彦星を待つ恋心をも歌いました。人の心を推し量り、その心を歌というかたちにする、そうしたことが文人憶良にとっては大切な営みのひとつだったのだということも言えそうです。

（松田　浩）

元号令和と旅人

「令和」の典拠は、大伴旅人が大宰府で催した「梅花の宴」の「序」（『萬葉集』巻五）の一節、「初春の令月、気淑《よ》く風和やかなり」にあります。詩宴・歌宴の「序」は、その会の意義を作品とともに後世に伝えるためのもので、「梅花歌序」もまた、なぜ梅の歌を皆で詠むのかを末尾で語っています。

> 詩には「落梅之篇」がある。そこに記された「古」の思いと「今」の私たちの思いとの間には何の違いもない。だから私たちも「古」と同じように園の梅を歌に詠もうではないか。

ここでいう「落梅之篇」とは中国の古典詩で、梅花に思いを寄せて辺境から都を懐かしむ作品群です。当時、日本でも梅花は、奈良の都に咲きそう、都を象徴する花でした。「序」は、梅花に都を懐かしむ心は「今」も「古」も同じだと宣言します。つまり「梅花の宴」参加者にとって「梅花之篇」は海外の文学ではなく「古」の文学であり、しかも同じ心を分かちあえるものだったのです。そこには、国境などという狭い了見はありません。旅人たち文化人は、東アジア漢字文化圏という大きな世界に生きていたのです。

（松田　浩）

大伴旅人

7

もののふの八十《やそ》宇治川《うぢがは》の網代木《あじろぎ》に
いさよふ波の行《ゆ》くへ知《し》らずも

柿本人麻呂《かきのもとのひとまろ》

「文武百官の数多《あまた》の氏」という名を負う宇治川。その宇治川の網代の木杭に
ほんのいっとき滞《とどこお》っては流れ去って行く波の行方はわからぬものよ。

（『萬葉集』巻三・雑歌・二六四）

「網代《あじろ》」は、川の中に杭を並べ立てて、その間に竹などで編んだ簀《す》を網のように張ったもので、氷魚《ひお》漁に用います。今はその漁期も過ぎて簀が取り去られ、その杭（網代木）ばかりが川の中に点々と並んでいます。絶え間なく流れる川の流れが、網代木にまとわりつくかのように、ほんのひととき滞って波を立てるものの、その波はたちまちに流れ去ってしまい、行く末すらもわからない――。仏教の無常観にも通じるはかなさを感じさせる歌です。

柿本人麻呂は近江国（滋賀県）より都への帰途、宇治川のほとりでこの歌を詠みました。近江はかつて天智天皇が大津宮《おおつのみや》を営んだ国です。その天智天皇の死後には皇位継承をめぐって、近江朝の後継者であった天皇の息子・大友《おおともの》皇子《みこ》と天皇の弟・大海人皇子《おおあまのみこ》との間で、日本古代史上最大の内乱、壬申《じんしん》の乱が起きました。勝利した大海人皇子は飛鳥に都を遷《うつ》して天武天皇として即位し、大津宮はその主《あるじ》を失います。乱よりおよそ二〇年ほど後、人麻呂が見た大津宮

はその跡形もわからぬほどに春草に覆われて、すっかり荒廃しきっていました。その寂しさを詠んだ長歌が『萬葉集』には残されています。おそらくこの歌は、その長歌を詠んだ大津宮訪問の帰り道で歌われたものでしょう。

こうした作歌事情を踏まえつつ、作品の修辞法にも目を向けてみましょう。

まずは「もののふの」という枕詞。「もののふ（朝廷に仕える文武百官）」は数が多いことから、「八十《やそ》」を導きます。さらに導き出された「八十氏（数多《あまた》の氏族）」には「うぢ」の同音で「宇治川」が重ねられます。すると、ここには、近江朝に仕えた文武百官の諸々の氏族、さらには、それを名に負った宇治川という含意が読み取れます。ここに滅び去った近江朝に仕えた諸氏族の姿が重ねられているのです。

そしてもうひとつ、『萬葉集』に記されたこの歌の原文に見られる、文字の上の表現です。

物乃部能《もののふの》　八十氏河乃《やそうぢがはの》　阿白木尓《あじろきに》　不知代経《いさよふ》
浪乃《なみの》　去辺白不母《ゆくへしらずも》

いわゆる万葉仮名を交えて記されたこの歌では、「いさよふ浪」が「不知代経《いさよふ》浪」という漢字で表現されています。この文字列からは、「どれだけ代《よ》を経《へ》たかも知らず」という含意が読み取れますね。つまり、かつて栄華を誇った近江方の諸氏族が宇治川の流れに重ねられ、そうした人々もまた、網代木に滞る浪のようにほんのひととき歴史の表舞台に現れて過ぎ去り、幾代を経たかもわからなくなってゆく、そんなふうに時の流れに消え去ってゆくのだという感慨が詠まれているのです。

川の流れに時の流れを感じ、枕詞や文字遣いで重層的なイメージをつくりながら歴史の無常を織り込んで眼前の景色を歌い上げる。

こうした力量に、後には歌聖《かせい》と呼ばれることになる人麻呂の歌才が感じられます。

（松田　浩）

柿本人麻呂

柿本人麻呂は、生没年も経歴すらも不明ですが、歌人としての活躍は、『萬葉集』に残された数多くの作品を通して知ることができます。人麻呂は天武・持統天皇から文武《もんむ》天皇の時代にかけて数多くの作品を残しましたが、特に、天武天皇の時代には日本初と目される歌集を編纂し、持統天皇の時代には、儀礼的で重厚な長歌を数多く詠んだことが注目されます。

人麻呂がつくった歌集は、『柿本朝臣人麻呂之歌集(人麻呂歌集)』といいます。この歌集は残念ながら現代には残っていないのですが、『萬葉集』の中に三七〇首もの歌が残され、ほぼ『人麻呂歌集』の配列をそのままに引用されています。そして、その多くは、古今の「相聞《そうもん》」(恋歌)を集めた『萬葉集』の巻一一・一二に、「今(奈良時代)」の歌の規範・手本となるべき「古」の歌として収載されています。奈良の都の人々にとっては、『人麻呂歌集』は歌の教科書・範例集ともいうべきものだったのです。

おそらくそうした歌集が作られたのも、漢詩文こそが文学・文化であるという時代にあって、日本の歌をも文化的な水準に押し上げようとした天武天皇の文化政策の一端であったのだろうと考えられています。

天武天皇の死後、その妻の持統天皇が即位しますが、次の天皇となるはずの天武・持統の息子、皇太子・草壁皇子は夭逝《ようせい》してしまいます。持統天皇は、孫の軽皇子《かるのみこ》が立派に成長するまで、天皇という重責を背負い、国家を強力にまとめ上げなくてはなりませんでした。

そうした状況の中、柿本人麻呂は、王権をサポートするように、天皇・皇子の行幸《ぎょうこう》・出遊《しゅつゆう》に従い、枕詞や対句を多用した修辞的で荘厳・重厚な王権賛美の長歌を次々と創り上げていったのです。その活動は、まさに「宮廷詩人」とでも称すべきものでした。

そのほか、妻を失った男の悲しみの物語や、赴任地での恋人との別れに悲しむ男の激情を叙情的に歌い上げた作品など、恋物語ともいうべき長歌作品なども、人麻呂の手によって創作されました。おそらくは宮廷の人々に披露され、それを聞く人々はその悲恋の物語に涙したことでしょう。これらもまた「宮廷詩人」としての人麻呂の一面をあらわす作品といえるでしょう。

(松田　浩)

8

磯《いそ》の崎《さき》漕《こ》ぎ廻《た》み行《ゆ》けば近江《あふみ》の海《うみ》
八十《やそ》の湊《みなと》に鶴《たづ》さはに鳴く

高市黒人《たけちのくろひと》

磯の崎にそって漕ぎ巡ってゆくと、近江の海（琵琶湖）に注ぐ
数多の川の河口々々に鶴が数多く鳴いている。

（『萬葉集』巻三・雑歌・二七三）

高市黒人は、『萬葉集』に数多くの旅の歌を残しました。この歌もまた、「近江の海（琵琶湖）」をゆく船旅の歌です。

かつては、都から北陸へと向かう旅では、琵琶湖の湖南から湖北までの間を船で移動していました。「湊」は、水門《みなと》とも記すように、河口のことです。琵琶湖には「八十（数多く）」の川が流れ込んでいます。

当時の船は、安全を求めて、あまり沖合には出ずに沿岸を通りました。陸地が突き出ている「崎」に沿って漕ぎ進む間は視界が限られますが、その突端を越えると視界が左右に開けて、大きな琵琶湖が一面に広がります。そのあちらこちらの河口ごとに鶴が群れをなして鳴き騒いでいる様子が目に飛び込んできます。

明るく美しい光景が広がりますが、それは同時に、鶴の群れを見慣れぬ都人にとっては、旅愁をそそる景色でもあったのです。（松田　浩）

9

夏の野の繁《しげ》みに咲ける姫百合《ひめゆり》の
知らえぬ恋は苦しきものそ

坂上郎女《さかのうえのいらつめ》

夏の野のよく繁った草むらに咲いている姫百合のように、
あの人に気づいてもらえない恋は苦しいものです。

（『萬葉集』巻八・夏相聞・一五〇〇）

『萬葉集』に女流として最も多くの歌を残した歌人、坂上郎女の恋の歌です。

この歌の上《かみ》の句は、下《しも》の句の心情表現を比喩的に形づくる「序詞」（コラムｐ21）となっています。

夏の野原は、春に比べて草々の色も濃くなり、背丈もぐっと高くなって生い茂っています。この歌の「序詞」では、そうした中に咲く一輪のひめゆりの花が描かれています。山野によく見られる山百合などは、背丈が高く、うつむき加減に白い花を咲かせますが、それとは対照的にひめゆりは背が低く、上向きに赤い花を咲かせます。ひめゆりの上向きに咲く姿には、いかにも人に気付いて欲しそうな趣《おもむき》が、赤い色には激しい恋の情熱が感じられますね。それなのに、繁茂しきった夏草の中では、隠れてしまうような背丈のひめゆり……。

思いを寄せる人に気付いてもらえぬ恋心の苦しさが序詞の景物に重ねられて表現されているのです。

（松田　浩）

序詞《じょことば》

序詞は二句あるいは七音節以上の語句によって成り、修飾することばは固定していません。和歌の初句《しょく》から始まり、景物描写が終わるところまでが序詞です。序詞を用いた和歌は、序詞（自然・景物）＋非序詞（人間・心情）が積み木のように縦に並んでいます。そして、序詞と非序詞が、コインの表裏のように、同じ事柄を異なる面から表現しているのです。例を挙げてみましょう。

御垣守衛士《みかきもりゑじ》のたく火の夜は燃え昼は消えつつものをこそ思へ

（衛士の焚くかがり火が、夜は赤々と燃え、昼は消え入るように、私の心も夜は燃え、昼は消え入るようにして、日々恋の物思いをしていることよ）

（『詞花和歌集』恋上・二二五・大中臣能宣《おおなかとみよしのぶ》）

傍線部が序詞です。闇夜を照らすかがり火の炎（序詞）は、夜にだけ燃え上がる恋人たちの情念を象徴しています。こうしてみると、ただの炎がとても官能的に思えてきますよね。序詞は一見アクセサリー的存在に思えますが、口ずさんでいるうちに、むしろ序詞の方が強い印象をもって迫ってくるのです。（谷　知子）

掛詞《かけことば》と心物《しんぶつ》対応構造

掛詞は、同音異義語の組み合わせです。しかも、「物（自然・景物）」と「心（人間・人事）」のセットが基本です。その点では序詞と同じですが、掛詞の場合は、「物」と「心」が横に並ぶ構造をとっています。「松」と「待つ」、「秋」と「飽き」というように、共通の音を核にしつつ、人間の心情表現と自然の風景描写が結びつけられ、拮抗《きっこう》しながら、重層し、融和していくのです。木の「松」と人を「待つ」行為は、現実的には無関係です。しかし、常緑樹の松のたたずまいは、掛詞に用いられることによって、まるで人を待っているかのように見えてきます。

鈴木日出男氏は、序詞や掛詞などに見られる物と心の組み合わせを「心物対応構造」と名づけました（『古代和歌史論』東京大学出版会、一九九〇年）。この対応構造は、自然と人間を別物ではなく、親和性を持った同類のものと認識する日本的な精神に由来しています。この精神は、和歌に限らず、文学・芸能・信仰などに広くゆきわたっているのです。

（谷　知子）

10

田子《たご》の浦《うら》ゆうち出《い》でて見《み》れば真白《ましろ》にそ 富士《ふじ》の高嶺《たかね》に雪は降りける

田子の浦を通ってぱっと視界の開けるところに出て眺めてみると、真っ白に、富士の高嶺に雪は降り積もっていることよ。

（『萬葉集』巻三・雑歌・三一八）

山部赤人《やまべのあかひと》

『古今和歌集《こきんわかしゅう》』の「仮名序《かなじょ》」でも柿本人麻呂《かきのもとのひとまろ》と並び称される萬葉時代の歌人、山部赤人が詠んだ「富士の山を望む歌」という長歌に添えられた短歌（「反歌《はんか》」）です。

「田子の浦」は、古くは駿河湾に注ぐ富士川河口の西側の弓なりになった海岸一帯の地名でした。「田子の浦ゆ」の「ゆ」は「～を通って」という意味の格助詞ですから、ここでは、南側から田子の浦沿いの陸路を通ってくると、ぱっと視界が開けて、湾の奥に富士山が現れたと歌われていることがわかります。海沿いの道という近景から、「うち出でて見れば」で遠景の富士山へと一気に視界が広がるのです。おそらく薩埵峠《さったとうげ》（静岡市・由比《ゆい》）あたりからの眺めでしょう、安藤広重《あんどうひろしげ》の浮世絵「東海道五十三次」の「由井」に描かれた富士山の姿が重なります。

この歌は『百人一首』でもよく知られていますが、よく見ると少しだけ、けれども歌としては重要な点が異なっていることに気がつきます。『百人一首』では、

田子の浦にうち出でてみれば白妙《しろたへ》の富士の高嶺に雪は降りつつ

（田子の浦に出て眺めてみると〈白妙の〉富士の高嶺に雪は降り、また降りしている）

となっています。こちらの歌では、陸路ではなく、「田子の浦に」とあるように船で海に出て、海上から遠望する富士山の景です。ちょうど葛飾北斎《かつしかほくさい》の浮世絵『富嶽《ふがく》三十六景』の「東海道《とうかいどう》江尻田子《えじりたご》の浦略図《うらりゃくず》」に描かれた富士山の構図がこの景に重なります。

さて、この『百人一首』の歌では「白妙《しろたへ》の」という枕詞で比喩的に真っ白な布のような富士山の冠雪《かんせつ》を表現し、「雪は降りつつ」と反復・継続を表す接続詞「つつ」を用いて、今まさに頻《しき》りに雪が降り敷いてゆく様子が歌われます。富士山の冠雪を遙かに眺めつつ、そこに降り敷く雪が見えるということは現実にはありませんから、これは幻視ともいうべきもので、いかにも中世らしい幻想的な美しさを感じさせる歌になっています。

それに較べると、萬葉の歌では「真白にそ」と直接的に冠雪の白さを詠み、「雪は降りけり」と一首を閉じます。「けり」は「来《き》・有《あ》り」が語源で、過去に起きたことが、今に至るまで残っていることをいうことばです。これまでに降った雪が積もっているのを、今まさに目《ま》の当《あ》たりにして詠嘆しているのです。実景としての姿が、ありありと見えて来ますね。

こうしたところに『萬葉集』と中世の和歌との質の相違も見えてきそうですが、実は、この歌で赤人が見ている富士山の姿は単なる実景ではありません。この歌と組み合わせられた長歌では、富士山の姿が天地が分かれた神代《かみよ》から歌い起こされ、それ以来、ずっと雪が降り続けたことが歌われています。つまり、短歌では、その神代以来の富士山の冠雪を、今の現実の世界で眼前にしているというのです。赤人が田子の浦で詠んだ富士山の冠雪は、神代と今とを結ぶ「実景」だったのです。

（松田　浩）

山部赤人

山部赤人（山辺赤人）は、聖武天皇の行幸に従駕《じゅうが》して、その土地を褒め称える讃歌を数多く詠んでおり、柿本人麻呂の次の世代を担った宮廷歌人ということができます。赤人の長歌は、当時は既に伝統となっていた人麻呂の讃歌の表現を踏襲しつつ、それを緊密な対句関係をもって構成し、隙の無い歌を作り上げていることに特徴があります。

それは、長歌《ちょうか》に組み合わされた反歌《はんか》（長歌に添えられた短歌）においても同様で、赤人の反歌は、長歌との緊密な関係を保って配されています。ただ、その反歌もそれ自体で優れた叙景性を発揮しているため、反歌が長歌から切り離されて単独で鑑賞されることが多々あります。『百人一首』で有名な「田子の浦」の富士山の歌も、叙景歌としての美しさと同時に、長歌と組み合わせてみると、その叙景に深い意味が添えられていましたね。

明治時代以降、赤人は突出した叙景歌人としての名声を得ましたが、そうした赤人の「短歌」も、『萬葉集』の中に返して、「反歌」として読みなおしてみると、きっと面白い発見ができることでしょう。

（松田　浩）

富士山

富士山は、標高三七七六メートル、日本の最高峰です。和歌では駿河国《するがのくに》（静岡県）の歌枕《うたまくら》とされています。古来、赤人の長歌（『萬葉集』巻三・三一七）に「神《かむ》さびて　高く貴き」とあるように、神聖で崇高な山として仰がれました。また、活火山、火が燃える高い山とも認識され、「思ひ」に「火」を掛け、「煙」の縁語《えんご》を用いて恋の歌などに詠まれる例も数多くあります。

鎌倉時代以降、東海道の旅が盛んになり、旅の途中の実景が詠まれる歌も多くなります。阿仏尼《あぶつに》（60番）は、生涯に二度富士山を見て、昔父とともに見たときには確かに煙が立っていたのに、今回は煙が出ていないと書き残しています（『十六夜《いざよい》日記』）。

江戸時代になると、富士山を遠望できる地に幕府が置かれたため、日常的に眺められる山として、「深川《ふかがわ》を漕ぎ出でて見れば入り日さし富士の高根のさやけく見ゆかも」（「悠然院《ゆうぜんいん》様御詠草」八四・田安宗武《たやすむねたけ》）のような和歌も生まれます。絵画の世界でも、葛飾北斎《かつしかほくさい》の「富嶽《ふがく》三十六景」などに描かれ、広く親しまれました。

（谷　知子）

11

君が行《ゆ》く道の長手《ながて》を繰《く》り畳《たた》ね焼き滅ぼさむ天《あめ》の火もがも

あなたが去って行く道、その長い道のりをたぐり寄せて折りたたみ、それを焼き滅ぼしてしまうような天の火があったらよいのに…。

（『萬葉集』巻一五・三七二四）

狭野弟上娘子《さののおとがみのおとめ》

狭野弟上娘子の夫、中臣宅守《なかとみのやかもり》は結婚直後に天皇の勅命で流罪《るざい》となってしまいます。この歌は、その夫が流刑地《るけいち》へと去り行く時の妻の嘆きを詠んだものです。

長い道のりを一筋の帯に見立て、たぐり寄せて畳《たた》み、さらには、その道を焼き滅ぼしてしまうような「天の火《あめひ》」を希求する。スケールの大きな歌ですね。

実はここで希求されている「天の火」とは、漢語「天火」の翻訳語で、王に政治的な過誤がある時に、天が地上の王に注意を与えるために下す雷《いかづち》の炎を表すことばです。そこには、夫を流罪とした天皇の勅断が何かの間違いであって欲しいという願いが読み取れます。天皇批判ともとれそうな表現ですが、歌の中では、こうした思い切った表現が可能だったのですね。

しかし、そうした思いも「もがな」という、所詮《しょせん》は叶《かな》わぬ願望でしかありませんでした。時の最高権力に引き裂かれた恋の、痛切な思いが歌われた一首です。

（松田　浩）

12

うららに照《て》れる春日《はるひ》にひばり上《あ》がり心《こころ》悲《かな》しもひとりし思《おも》へば

大伴家持《おおとものやかもち》

うららかに照っている春の日の光の中で、雲雀《ひばり》が空へと舞い上がり、心が痛んで切ない。独りきり思いに耽っていると。

(『萬葉集』巻一九・四二九二)

『萬葉集』の最終的な編纂者・大伴家持の、「絶唱《ぜっしょう》」とも評される一首です。

上《かみ》の句は、春の日が照っている空に雲雀《ひばり》が駆け上がってゆく姿が詠み込まれていて、いかにも明るく、長閑《のどか》な景が詠み込まれています。これに対して、下《しも》の句では、独りでものを思うが故《ゆえ》の心の悲しさという暗い孤独な感情が吐露されます。歌われた景物と心情とは、まるで反対の方向を向いているかのようです。

和歌というものの基本は、歌に詠み込まれた景物が心情表現を形象することで、心のありように個別的・具体的なイメージを与える「心物対応構造」にあります。そうして見ると、この歌のありようは通常の和歌の表現様式とは異なるところに成り立っているかのように見えて来ます。

それは、景物を詠む上の句が「ひばり上がり」という連用形のままに、下の句の心情の叙述へと接続するありかた(連用中止法)にも見て取ることができます。連用中止法は、前後の文をそれぞれ対等の資格で並立させるものです。すると、この歌では上の句（景）と下の句（情）が互いに対等に並んでいるのであって、景物と心情との関係は語られないままなのです。そして、そこには両者の関係が語られないからこそ、逆接的に景と情との関係が浮き彫りになります。うららかで長閑な景物と同化することができない孤独な心がそこに現れてくるのです。

和歌の様式からの逸脱は、これだけに留まりません。『萬葉集』の和歌では、「ひとり」という言葉は、愛する人とともにある「ふたり」の対義語であり、本当は「ふたり」でしたかったことなのに「ひとり」でしなければならないという悲しみ・寂しさを詠む際に用いることばです。けれどもこの歌の「ひとりし思へば」の「思ふ」では、「ふたり」でできたらよかったのに、とはなりませんね。恋歌のことばを用いながら、「ふたり」を求めることもできない思い、ここには、本当の孤独としての「ひとり」の悲しみが立ち現れます。

こうした応用と逸脱は、従来の歌の様式があって初めて可能になります。そして、その逸脱によって、家持の孤独な懊悩《おうのう》は鮮やかに描き出されます。その懊悩の背景には、かつての名門氏族大伴氏が、今や藤原氏の勢いに圧倒されて政治的には苦境にあるといったこともあったでしょう。ただし、家持はそうしたことを一切面には立てず、ただひたすら、うららかな春の景色には形象し得ない、自らの孤独な思いを歌うのです。

家持は、この歌に自ら注を付して、心の痛みと悲しみを払《はら》い除《の》けることができるのは歌だけだと述べています。そこには、歌の様式を刷新する新たな試みをくわえつつも、歌というものの力を信じる家持の姿が見えてきます。

（松田　浩）

大伴家持《おおとものやかもち》

大伴旅人《おおとものたびと》（6番）の息子、大伴家持は、『萬葉集』の最終的な編纂者として、『萬葉集』二〇巻を完成させました。その編纂作業の中でも特に注目されるのは、巻一七以降の末四巻の編纂です。『萬葉集』は通常、「雑歌」「相聞」「挽歌」という三大部立に従って作品が収録されていますが、末四巻は、家持が作った歌、聞いた歌が日付順に、日誌のように並べられています。家持は、自らの作歌生活を末尾に加えて『萬葉集』を完成させたのです。

その「歌日誌」の語るところによれば、越中《えっちゅう》（富山）の国守に赴任して、立山《たてやま》を詠む雄大な長歌を詠み、国守としての使命に燃える歌もつくりました。都への帰任後には、藤原氏の台頭を目の当たりにして、栄枯盛衰に思いを致しつつ、優美かつ繊細、それでいて愁《うれ》いを帯びた美的な自然を詠む秀作を生み出すに至ります。「歌日誌」以前の若き家持は、数々の女性と歌の贈答と、後の家持の歌風の基礎となる自然詠とを数多く残しています。『萬葉集』には、一六歳から四二歳までの家持の、歌人として成長してゆく生き様が刻み込まれているのです。

（松田　浩）

萬葉集

全二〇巻、四五〇〇首あまりから成る『萬葉集』は、日本現存最古の歌集として知られています。そこには、伝承上の作者を除けば、舒明《じょめい》天皇の時代（七世紀前葉）から、巻末の大伴家持の歌の七五九年までのおよそ一三〇年間の歌々が収載されています。その時代は、律令国家が成立し、日本の神話や歴史が整備され、歌が宮廷の文化の一端を担うものとして立ち上がってくるという、政治的にも文化的にも激動の時代でした。私たちは、『萬葉集』を読むことで、そうした時代を歌がいかに語っているのかということに耳を傾けることができます。

ただし、『萬葉集』の語る歴史といった場合には、実在した作者だけでなく、やはり伝誦の上で仮託された人物の歌々もまた、重要になってくるでしょう。巻一「雑歌」の巻頭をかざるのは、五世紀後半の雄略天皇の歌であり、巻二「相聞」は五世紀前半の仁徳天皇の后、磐姫《いわのひめ》皇后の歌です。そこには、奈良時代の人々が雄略天皇や仁徳天皇に、古の規範としての性格を与え、自らの歌の歴史の始まりを見ようとする歴史意識が感じられます。

（松田　浩）

中古——平安時代

13

今はとて天《あま》の羽衣《はごろも》着る折《をり》ぞ
君《きみ》をあはれと思ひ出《い》でける

かぐや姫

今はもうお別れということで天の羽衣を着る折に、
あなたのことをしみじみと思い出したのでした。

（『竹取物語』一四）

『竹取物語』は、『源氏物語』「絵合」巻において、「物語の出《い》で来はじめの親」とされているように、現存最古の物語文学です。ヒロインは、かぐや姫。竹の中に生まれ、美しく成長したかぐや姫は、五人の貴公子たちの求婚を拒絶し、帝からの求婚をも断って月の世界へと帰っていきます。迎えの天人《てんにん》がかぐや姫に天の羽衣を着せようとした時、かぐや姫はそれを制して、帝にむけた手紙を書き、歌を添えます。天の羽衣を着た者は人間としての心を忘れてしまうとされていました。かぐや姫が書きつけた「あはれ」には、かぐや姫の人間としての精一杯の思いが込められています。天の羽衣を着せられたかぐや姫は、翁への思いも忘れ、この地上をあとにします。天上の世界には物思いはありません。しかし、人を「あはれ」と思う心もないのです。

　人の心を描く物語文学は、やはりこの『竹取物語』から始発したということができるでしょう。

（竹内正彦）

かぐや姫

14

思ひつつ寝《ぬ》ればや人の見えつらむ
夢と知りせばさめざらましを

小野小町

あの人のことを思い思いして寝たからあの人が夢に現れたのだろうか、
夢だと知っていたなら覚めないでいただろうのに。

（『古今和歌集』恋二・五五二）

古代人にとって、夢はもう一つの現実でした（コラムp33）。けれども、夢の中では神や仏のほか、現実には逢うことのできない恋人にも逢うことができました。

「見えつらむ」の「つらむ」は、一般的には、完了（強意、確述とも）の助動詞「つ」に現在推量（原因推量）の助動詞「らむ」が続いたものと説明されますが、同様の「ぬらむ」が現在や近い過去に発生している事態についての推量を示すのに対して、近い過去の事態や過去から直前まで継続してきた事態についての推量を示すものともされます。それによれば、この歌は、つい今しがたまで恋しい人が現れていた、その夢から覚めた直後の心象を歌ったものであることがわかります。

歌人には、恋しい人の面影がありありと感じられています。しかし、その面影は目覚めるに従って薄れていきます。下の句の反実仮想（事実とは反対のことを想定すること）がその哀切を如実に示しています。

（竹内正彦）

六歌仙《かせん》と三十六歌仙

歌仙とは、和歌に優れた人の呼び名です。『古今和歌集』「仮名序」に「近き世にその名聞こえたる人」として名前が挙がった僧正遍昭《そうじょうへんじょう》・在原業平《ありわらのなりひら》・文屋康《ふんやのやす》秀《ひで》・喜撰《きせん》・小野小町《おののこまち》・大伴黒主《おおとものくろぬし》の六人を、後に「六歌仙」として崇めるようになりました。

「三十六歌仙」の「三十六」は、六歌仙の倍数として考案されました。藤原公任『三十六人撰』に選ばれた平安時代中期までの代表的歌人三六人を指します。柿本人麿《かきのもとのひとまろ》（人丸）・紀貫之《きのつらゆき》・凡河内躬恒《おおしこうちのみつね》・伊《い》勢《せ》・大伴家持《おおとものやかもち》・山辺赤人《やまべのあかひと》・在原業平《ありわらのなりひら》・遍昭《へんじょう》・素性《そせい》・紀友則《きのとものり》・猿丸《さるまる》・小野小町《おののこまち》・藤原兼輔《ふじわらのかねすけ》・藤原朝忠《あさただ》・藤原敦忠《あつただ》・藤原高光《たかみつ》・源公忠《きんただ》・壬生忠岑《みぶのただみね》・斎宮女御《さいぐうにょうご》・大中臣頼基《おおなかとみよりもと》・藤原敏行《としゆき》・源重之《みなもとのしげゆき》・源宗于《むねゆき》・源信明《のぶあきら》・藤原清正《きよまさ》・源順《したごう》・藤原興風《おきかぜ》・清原元輔《もとすけ》・坂上是則《さかのうえのこれのり》・藤原元真《もとざね》・小大君《こおおいのきみ》・藤原仲文《なかふみ》・大中臣能宣《おおなかとみよしのぶ》・壬生忠《みぶのただ》見《み》・平兼盛《たいらのかねもり》・中務《なかつかさ》です。肖像画を加えた歌仙絵も流行し、一三世紀中頃に成立した佐竹本『三十六歌仙絵巻』は中でも有名です。

（谷　知子）

夢

夢は、古くは神のお告《つ》げとされていたので、夢の意味を読み解く必要がありました。「夢解き」や「夢合はせ」など、いわゆる夢占いです。また、人間の肉体から離れた魂が通《かよ》ってくるとも考えられ、夢の中で逢うことが現実に準ずるものとしてたいせつにされました。『萬葉集』に見られる夢はほとんどが恋の歌で、「夢の逢《あひ》」というロマンチックなことばも生まれました。現代では自分が強く思った相手が夢に現れるとされますが、古典文学では逆に相手が自分を強く思ったときに夢に現れると考えられていました。また、夜の衣を裏返すと恋人を夢に見るという俗信もあったようです。

夢は神秘的な情趣を持つものとして、恋歌以外にも詠まれました。有名な例は「春の夜の夢」で、平安時代から流行し、藤原定家（56番）の「春の夜の夢の浮橋《うきはし》とだえして峰に別るる横雲の空」（『新古今和歌集』春上・三八）を生み出します。この歌は、楚《そ》の懐王《かいおう》が夢で巫山《ふざん》の神女と契ったという故事（『文選《もんぜん》』高唐賦《こうとうふ》）をふまえた幻想的な夢の歌です。

（谷　知子）

15

しかりとてそむかれなくに事しあれば
まづ嘆かれぬあな憂き世の中

小野篁《おののたかむら》

この世がつらいからと言って、すぐに出家できるはずもないよ。事があれば、まずは「何と辛いことだ、ああ、この世の中は」と、溜息が出てしまうよ。

（『古今和歌集』雑下・九三六）

この歌は内容上、「しかりとてそむかれなくに」と「事しあれば……」に分けられ、作者の自問自答の体裁を取っています。俗世に嫌気《いやけ》がさしたからといって、そうやすやすと出家《しゅっけ》できるはずもない、気の滅入るような出来事にゆきあうたびに、ただただ嘆いてしまうのだ。意に満たないままに世に棲むことの憂鬱が、問答形式特有のリズムに載せられて彫り深く表現されています。

作者の小野篁（八〇二～八五三）は、九世紀前半を代表する儒学者であり、文化人です。菅原道真の父・菅原是善《すがわらのこれよし》と並んで詩の大名人と呼ばれていました。このように説明すると謹厳実直な人柄だったかのように思ってしまいますが、遣唐副使に任命されながらも乗船を拒否して島流しの刑に処されたように、自由奔放《じゆうほんぽう》な人物像で知られています。『古今和歌集』「真名序」（漢文で書かれた序文）にも、「風流は野宰相《やさいしょう》の如し」（野宰相は小野篁）と風流人《ふうりゅうじん》の代名詞として言及されています。文学的な才能・評判と、印象的な人物像の相乗効果によって、小野篁は後世の説話に主人公として登場します。なんと異母妹に恋する色好みであったり（『篁物語《たかむらものがたり》』）、冥界《めいかい》の役人であったりと（『今昔物語集《こんじゃくものがたりしゅう》』）、フィクションの世界で大活躍です。

　なぜそのような時代の寵児《ちょうじ》が、右のようなかげりを帯びた歌を詠んだのでしょうか。歌の成立年代は、島流しの刑に処された時とも、あるいは朝廷を揺るがす政変（承和《じょうわ》の変）の渦中にあった時期とも推定されています。いずれにしても、いわゆる藤原摂関体制《ふじわらせっかんたいせい》の確立にともない、中小氏族から、漢学を元手に国政を動かすポストにつくチャンスが奪われていった、という歴史的背景をおさえる必要があるでしょう。小野篁の父の世代であれば、漢学を身に付け、天皇の相談役として立身出世することが可能でしたが、小野篁が官人として世に出る頃には、そのようなルートはなくなってしまっていたのです。小野篁をはじめとする中小氏族出身者は青春を謳歌《おうか》するべき年頃に、未来の栄達を目指してひたすら苦学しました。ところが卒業してみると、出世コースはほとんどなくなっていたのでした。希望が潰《つい》えることほど、辛いものはないでしょう。小野篁はまだしも高位の参議（公卿《くぎょう》の最低ライン）に出世しましたが、だからといって時代の重苦しい雰囲気に影響されなかったはずがありません。心ならずも藤原摂関家に付き従った過去を悔やむこともあっただろうと思います。

　小野篁のこの歌については、独特な言葉遣いが専門家の間で注目されているのですが、その自由な詠みぶりは、彼個人の苦渋《くじゅう》を切り取るものであると同時に、暗転してゆく諸氏族の命運をも照らし出しているのです。

（宋　晗）

篁伝説

小野篁は生前から有名人だったため、没後も説話や創作物の中で活躍して（させられて？）います。特に冥官説話《めいかんせつわ》と『篁物語』について紹介します。

小野篁は、昼は朝廷で官人として働き、夜は冥界にて、閻魔大王の裁判の補佐役を務めていたと言われています。睡眠時間はしっかり取れていたのだろうか？どういう経緯で閻魔大王にリクルートされたのか？など、いろいろと疑問が尽きないのですが、この逸話について記述した最古の文献が、院政期の儒者の大江《おおえの》匡房《まさふさ》の談話を筆録した『江談抄《ごうだんしょう》』ですから、平安時代後期にはまことしやかに言い伝えられていたようです。当時の漢学者はあらゆる学問の分野に通じていましたから、神秘化されやすかったと考えられます。

その一方で篁は、室町時代に作られた物語の『篁物語』で異母妹に道ならぬ恋心を抱く色好みとして登場します。篁は和歌にも長じていて、しかも冥官説話で有名な人物でしたから、恋物語の主役に打ってつけだったのでしょう。

（宋　晗）

遣唐使

遣唐使とは、七世紀から九世紀にかけて日本から唐（六一八〜九〇七）に派遣された公式の使節です。遣唐使の目的は、外交関係を結ぶというだけでなく、当時、東アジアで最も先進的な唐王朝の制度・文物《ぶんぶつ》を学び、日本に導入することでした。特に文化面では、使節に同行した留学生《るがくしょう》・学問僧が最新の文化を日本に伝える重要な役割を果たしました。最澄《さいちょう》や空海、それに菅原道真の祖父にあたる菅原清公《すがわらのきよぎみ》など、時代を代表する知性が遣唐使として海を渡ったのです。

ところが、渡海には多大な困難がつきまといました。造船・航海技術が未熟なため、難破《なんぱ》・漂流《ひょうりゅう》が頻繁に発生しました。「天《あま》の原ふりさけ見れば……」で知られる阿部仲麻呂《あべのなかまろ》は、帰国船が暴風に遭ったために安南《あんなん》（当時のベトナム）に漂着してしまい、結局、唐土で一生を終える羽目になりました。小野篁は遣唐副使に任命されたのにも関わらず、乗船を拒否して左遷されましたが、それだけ渡海が危険な行為だとわかっていたからでしょう。

（宋　晗）

小野篁

16

ちはやふる神代《かみよ》も聞《き》かず竜田《たつた》川
からくれなゐに水くくるとは

在原業平《ありわらのなりひら》

神々の時代でも聞いたことがない。竜田川の水を
真紅の色にくくり染めにするなんて。

（『古今和歌集』秋下・二九四）

「ちはやふる」は「神」にかかる枕詞で、「神代」は不思議なことが起こりえた神話の時代という意味。「竜田川」は、大和国《やまと》（奈良県）生駒山《いこま》地の東側を流れる川で、紅葉の名所です。「からくれなゐ」は韓《から》の国（大陸）から渡来した紅という意味で、真紅の色を表します。「くくる」は、絞《しぼ》り染めのことで、染め残しを作る染め方を意味しています。業平は、竜田川の川面に群をなして流れる紅葉と、その隙間の水面のコンビネーションを見て、竜田川が絞り染めされたと驚いてみせたのです。川を絞り染めにするなんて、人間のしわざではない、神々が自然を創った神代にもそんな話は聞いたことがないという趣向です。

この歌は、『古今和歌集』の詞書によると、昔の恋人高子《たかいこ》（コラムｐ41）が清和天皇の后《きさき》となった後、彼女の御所で屛風《びょうぶ》（衝立《ついたて》）の絵を前に詠まれたものといいます。『伊勢物語』七六段にも「神代」ということばが用いられています。

むかし、二条の后（高子）の、まだ春宮の御息所《みやすんどころ》と申しける時、氏神（大原野《おおはらの》神社）にまうで給ひけるに、近衛府《このゑづかさ》にさぶらひける翁（業平）、人々の禄《ろく》たまはるついでに、御車（高子の御車）よりたまはりて、よみて奉りける。

大原や小塩の山も今日こそは神代のことも思ひいづらめ

（この大原の小塩山も、今日こそは神代の昔のことを思い出していらっしゃるのでしょうか）

とて、心にもかなしとや思ひけむ、いかが思ひけむ、知らずかし。（『伊勢物語』七六段）

表向きは、大原野神社がある小塩山も今日は神代を思い出しているでしょうと詠んでいるのですが、続く「心にもかなしとや～」からすると、この「神代」は二人が恋人だった頃の思い出を指している可能性があります。

「ちはやふる」の和歌も、詠まれた状況はよく似ています。この「神代」もまた、業平と高子だけがわかる秘密のことばだったのかもしれません。高子は、藤原基経《もとつね》の妹で、清和《せいわ》天皇に入内《じゅだい》することが必然とされた女性で、まさに禁《きん》忌《き》の恋でした。

『伊勢物語』には、権力闘争の敗者が多く登場します。文徳《もんとく》天皇の第一皇子でありながら、皇位を継げなかった惟喬《これたか》親王もその一人です。薄幸の親王に寄り添い、雪月花《せつげつか》の風流に心を解き放つ業平たちが織りなす数々の恋愛や風流《ふうりゅう》韻事《いんじ》は、在野集団の「みやび」の世界です。藤原良房《よしふさ》たちが摂関政治の基盤を強引に固めつつあった時代にあって、権力集団に踏みにじられていく人々を見つめる視線が『伊勢物語』には見うけられます。禁断の恋を語る章段も、ある意味では権力への挑戦を恋愛や風流韻事という型を借りて具現化しているともいえるのです。

（谷　知子）

在原業平

高子《たかいこ》との恋

『伊勢物語』には、二条后《にじょうのきさき》（藤原高子）と男（業平を思わせる）の恋を語った章段がいくつかあります。高子とは、日本初代関白藤原基経《もとつね》の妹で、清和《せいわ》天皇の后になった女性です。例えば、六段は男（業平を思わせる）が女（高子）を盗み出し、駆け落ちするというお話です。

四段は、入内後逢えなくなった高子を恋い慕って、思い出の場所で泣き濡れる男を描いています。

またの年の正月に、梅の花ざかりに去年《こぞ》を恋ひて行きて、立ちて見、ゐて見、見れど、去年に似るべくもあらず。うち泣きて、あばらなる板敷きに月のかたぶくまで臥せりて、去年を思ひ出でて詠める。

月やあらぬ春や昔の春ならぬ我が身ひとつは
もとの身にして

と詠みて、夜のほのぼのと明くるに、泣く泣く帰りにけり。

（『伊勢物語』四段）

身の破滅をも恐れず、禁断の恋に身をゆだねてゆく人間の不条理さよ。俊成が「艶」（コラムp110）と呼んで高く評価した恋のかたちでした。

（谷　知子）

在《あり》原《わらの》業《なり》平《ひら》の文化

在原業平は、平安時代きっての人気歌人です。新古今歌人たちは業平になりきって恋歌を詠み、江戸時代になると、業平や『伊勢物語』をモチーフにした絵画やデザインが作られ、パロディ『仁勢《にせ》物語』までできました。

書物だけではありません。浅草、隅田川周辺には、業平橋、言問《こととい》団子《だんご》など、『伊勢物語』九段の和歌（「名にしおはばいざ言問はむ都鳥我が思ふ人はありやなしやと」）に由来する名前がたくさんあります。ご当地キャラクター「おしなりくん」は、在原業平をイメージしていますし、新交通ゆりかもめも、「都鳥（ゆりかもめ）」に由来しています。

杉田圭『超訳百人一首　うた恋い。』（KADOKAWA）は、『百人一首』一七番の業平の歌（16番）から始まりますし、競技かるたの世界を漫画化した末次由紀『ちはやふる』（講談社）の書名、『劇場版　名探偵コナン　から紅の恋歌《ラブレター》』のタイトルも、業平の歌から採用しています。

（谷　知子）

17

君や来《こ》しわれや行きけむおもほえず
夢か現《うつつ》か寝《ね》てかさめてか

斎宮《さいくう》

あなたがいらっしゃったのか、私が参りましたのか。私には何もわかりません。これが夢なのか、現実のことなのか。はたまた、寝ていてのことなのか、目覚めていてのことなのか。

（『伊勢物語』第六九段・一二六）

歌物語である『伊勢物語』は約一二五段の短章段からなります。それぞれの章段の中心は歌にあり、そこに在原業平を思わせる昔男《むかしおとこ》をはじめとした登場人物たちの心情が凝集されているといえます。その『伊勢物語』第六九段には、昔男と斎宮との恋が語られています。斎宮とは、伊勢神宮に奉仕する皇族の女性のことをいいます。伊勢神宮では皇族の祖先神である天照大神《あまてらすおおかみ》が祀《まつ》られていましたから、その神に仕える巫女《ふじょ》は、天皇の娘や孫などにあたる皇族の女性から選ばれました。斎宮は神に仕える神聖な女性ですから、人間の男性との恋は禁じられていました。その禁じられた恋を語るのが、この章段なのです。

帝の命を受けて諸国で狩りをする「狩《かり》の使《つか》ひ」として伊勢を訪れた昔男は、もてなしてくれた斎宮に恋心を抱きますが、人目があるため逢うことができません。夜、斎宮を想い、眠れないまま外を見やっていると、おぼろな月光のもと、なんとその斎宮が訪れてきてくれたのでした。

ただ、ふたりでいられたのも束の間、斎宮はすぐに帰ってしまいます。夢のような逢瀬《おうせ》に心を乱す昔男は、しかし、夜が明けても斎宮に手紙を出すこともできません。そのようなときに斎宮のもとから寄せられたのが、「君や来し」の歌なのでした。男女の逢瀬の後にやり取りをする後朝《きぬぎぬ》の歌は、男性から女性に贈るのが通例でしたから、これはその常識から外れるものです。

「君や来し」は、「や」が疑問の係助詞で、過去の助動詞「き」の連体形である「し」が結びとなり、句切れとなっています。「われや行きけむ」も「や」の結びが「けむ」で句切れとなり、「君や来し」の対《つい》となっています。「夢か」「現か」、「寝てか」「さめてか」もそれぞれ対でそのどちらなのかと疑っています。

この歌の主眼は「おもほえず」という第三句にあります。斎宮は昨夜のことは自分には何もわからないと歌っています。昔男との逢瀬を夢のなかの出来事としてしまわずに、わからないとするのは、斎宮も昔男との逢瀬を否定できないからでしょう。斎宮もまた昔男への恋心に揺れているのでした。

この斎宮の歌に対して、昔男は泣きながら次のように歌を返します。

かきくらす心の闇《やみ》にまどひにき夢うつつとは今宵《こよひ》定めよ

私は涙によって真っ暗になった心の闇に迷い込んでいます、夢か現実かは今宵決めてくださいと、昔男は再度の逢瀬を求めます。しかし、その逢瀬はかなわず、昔男は伊勢を後にしていかざるをえなかったのでした。

第六九段の末尾には、この斎宮が惟喬《これたか》親王の妹である恬子《てんし》内親王であったことをおぼめかしていますが、それはあまり重要なことではないでしょう。

夢か、うつつか。それは永遠の秘密です。けれども、物語は、許されない恋のなかで揺らめく男女の心惑いを余すことなく語っているのでした。

（竹内正彦）

18

秋来《き》ぬと目にはさやかに見えねども
風の音にぞおどろかれぬる

藤原敏行《ふじわらのとしゆき》

秋が来たと、目にははっきりとは見えないけれども、
風の音ではっと気づかされた。

（『古今和歌集』秋上・一六九）

立秋の歌です。初秋の頃にふとこの歌を思い浮かべる方は多いのではないでしょうか。

初句で「秋が来た」と言いきっておきながら、二句三句で「目にはさやかに見えねども」と打ち消します。あれ？と不審に思わせておいて、下の句で風の音の変化によって気づかされたのだと明かします。ささやかな音の変化に敏感に季節の推移を察知する心の動きが伝わってきます。

『古今和歌集』秋部は、連続五首の風の歌で始まり、この歌はその冒頭に置かれています。二首目を紹介しましょう。

河風の涼しくもあるかうち寄する浪とともにや秋は立つらむ　（一七〇・貫之）

（河風がなんと涼しいことか。涼しい風によって打ち寄せられる浪が立つと同時に秋が立つのだろう）

以後の勅撰和歌集の秋部は、『玉葉和歌集』『新拾遺和歌集』の例外を除いて、すべて秋風から始まってます。

（谷　知子）

漢詩と和歌

「詩歌《しいか》」ということばがあります。今では韻文（韻律が整えられた文）の総称として用いられていると思いますが、もともとは漢詩と和歌を指しました。そう、古代日本で韻文と言えば漢詩と和歌だったのです。

漢詩は、漢字とともに、五世紀頃から日本へ断続的に伝わりました。日本より先に文明化した中国では、三世紀頃から今の私たちが目にする漢詩が発達していました。戦後の日本でビートルズをはじめとする洋楽がはやったように、古代日本でも漢詩が持てはやされたのです。そして、古代の日本人は単に輸入された漢詩を読むだけではなく、菅原道真のように、漢詩を創作するようにもなりました。

漢詩が輸入され、日本漢詩が発達してゆく奈良・平安時代は、和歌の勃興期と連動していました。萬葉集の段階から、歌人は漢詩の表現を摂取し、同時に乗り越えようと格闘しました。漢詩と和歌の両方を嗜《たしな》むことが文化人の条件と思われていたふしもあります（和漢兼才と言う）。漢詩と和歌は、平安時代が終わるまで、文化の花型として対立と共存の関係を維持してゆくことになります。

（宋　晗）

白楽天《はくらくてん》の影響

白楽天（七七二〜八四六）は、中国を代表する詩人の一人です。今でこそ漢詩と言えば李白・杜甫が思い浮かびますが、平安時代で漢詩と言えば白楽天でした。『枕草子』に「文《ふみ》は文集」（文集は白楽天の文集の『白氏文集』を指す）とあることから、その人気の程がしのばれます。

白楽天の漢詩が大流行した理由には、平易で流麗な作風があります。十五夜に友人を思う「三五夜中　新月の色、二千里外　故人の心」（「故人」は古なじみの意）というような名文句は、注釈書を読まなくてもイメージがすっと頭に入ってくるものです。今も昔も、創作物は分かりやすさが人気の秘訣《ひけつ》のようです。

白楽天の漢詩は平安時代の文学者にインスピレーションを与えてもいました。玄宗皇帝《げんそうこうてい》と楊貴妃《ようきひ》の悲恋を描いた「長恨歌《ちょうごんか》」が『源氏物語』の要所で活用されていることはよく知られていますし、『枕草子』でも白楽天の詩が頻用されています。そして、次に紹介する大江千里《おおえのちさと》の歌も、実は白楽天の名句を翻案したものなのです。

（宋　晗）

19

照りもせず曇りもはてぬ春の夜の
おぼろ月夜にしく物ぞなき

照りもしないし、曇りきってもいない春の夜の、
ぼんやりとかすむ月の美しさにおよぶものはないことだ。

（『新古今和歌集』春上・五五）

大江千里《おおえのちさと》

「しく」はおよぶの意味で、「如《し》く」とも表記されます。「ぞ」は係助詞で、ここでは強意の働きを発揮しています。春の夜に、朦朧とした質感の光を放って、大地を照らす月。この情景の美しさに勝るものはあるまい。現代の私たちにもありありとイメージできるような、自然美への賛歌だと言えましょう。

ところがこの歌、作者がその目で見た景色を、ありのままに詠じたものではないのです。千里歌が採られた『新古今和歌集』の詞書に「文《ぶん》集《しゅうの》嘉陵《かりょうの》春夜詩《しゅんやのし》『不レ明不レ暗朧朧月』といへることをよみ侍りける」とことわられている通り、中唐の詩人・白居易《はくきょい》の「嘉陵 夜に懐《おもひ》あり。二首」の第二首の一句を、和歌に翻案したもので、白居易のこの詩から、大江千里は、特に春らしい美しさが切り取られた「明らかならず暗《くら》からず朧朧《ろうろう》たる月」を抜き出したのです。

このように、漢詩から一句を取り出し、そのイメージが和歌に変換されたものを、句題《くだい》和歌と言います。句を題にして詠まれた和歌という

意味です。句題和歌は、他ならぬ大江千里が宇多天皇（八六七〜九三一）の命によって考案したもので、以降、和歌の一形態として受け継がれてゆきます。中世和歌を代表する藤原定家《ていか》や慈円《じえん》も白居易の詩句をお題にして句題和歌を創作しています。

なぜ、句題和歌は和歌の一形態として継承されたのでしょうか。原因の一つには、外国文学の翻案に類する試みが、知的遊戯として好まれた、というのが考えられます。今でも言えることですが、外国の小説の機械的な翻訳ほど読んでいてつまらないものはありません。小説の場面ごとに適宜意訳されて、日本語として伝わる文章に書き直されるのが相場です。恐らく平安時代の歌人も、漢詩の和訳にそのような意義を見出していたことでしょう。その証拠に、千里歌は白詩句の「不明不暗朧朧月」の忠実な逐語訳ではありません。白居易の原作の趣旨は、辺境に左遷された親友・元稹《げんしん》のわび暮らしを励ますもので、暖かな朧月夜《おぼろづきよ》に、どうか春眠の楽しみを尽くしてください、との気遣いが述べられています。美しい春景を讃美することが主眼ではないのです。それに対して、千里歌では原作の趣旨を敢えてはずし、自然美を愛でる気持ち一点に表現を絞っています。情報量の多い漢詩から、特に目玉となるところを見抜き、和歌に仕立てた千里の見識がうかがわれます。

ところで、句題和歌があまりにも有名なためか、大江千里は歌人として評価されていますが、本職は漢学者でした。そもそも大江氏と言えば、菅原道真が輩出された菅原氏に匹敵する儒家の名門です。大江千里も生前は儒者として尊重されていたようで、道真の父・是善《これよし》と法令集の編纂にあたった経験がありました。多芸多才を絵に描いたような人物です。

（宋　晗）

20

梅は飛び桜は枯るる世の中に何とて松のつれなかるらん

菅原道真《すがわらのみちざね》

梅は飛び、桜は枯れる。そんなご時世なのだから、どうして松だけが冷淡なままでいられようか。

（『菅原伝授手習鑑』）

分かりやすいことばでつづられた歌で、注釈はいらないと思います。しかし、この歌を深く理解するためには、菅原道真に関連するお話についても知る必要があります。

天神様《てんじん》で知られる菅原道真（八四五～九〇三）は、浮沈の激しい人生を送りました。菅原氏の出としては未曾有《みぞう》の右大臣の職に任ぜられながらも、間もなく無実の罪で大宰府《だざいふ》（現福岡県福岡市）へと左遷され、生涯を閉じました。道真の左遷事件は、彼の勢いを恐れた藤原氏の策略によるものと言われています。罪を犯していないのに、理不尽な扱いを受けた教養人。民衆は道真に深く同情し、道真の没後まもなくして天神信仰が成立します。そうして、菅原道真の左遷前後をめぐっては、さまざまな伝説が派生してゆくこととなりました。その中に、歌に詠み込まれた梅・桜・松にまつわるものがあったのです。

順に説明しましょう。菅原道真は庭に梅を植えて愛《め》でていたのですが、大宰府への出立直前に、梅に対してあの有名な「東風《こち》吹かば匂《にお》いおこせよ梅の花主《あるじ》なしとて春な忘れそ」の歌を詠んで別れを告げました。菅原道真が大宰府にたどりつくと、なんとそこに、自邸の庭にあった梅が生えているではありませんか。主人を慕って大宰府にまで飛んできたのです。いわゆる飛梅伝説ですが、これには続きがあります。実は道真邸には桜と松も植えてあったのですが、桜は桜で道真を慕っていたものの、梅にばかり言葉がかけられたことを不満に思いつつ、道真の大宰府左遷を悲しんで枯れてしまった、というのです。このしらせを聞きつけた道真、梅と桜の忠心をけなげと感じ、第三者のように安穏《あんのん》としている松を咎めて、右の歌を詠んだところ、良心の呵責を感じた松も大宰府にやってきました。この事にちなんで、「老松《おいまつ》（追い松・生い松）」と呼ぶようになったとされています。

　松のつれなさを詰《なじ》るなんて、天神様も随分とせせこましい性分のようですが、右のお話は言い伝えであって史実ではありません。右の歌すらも偽作と考えられています。しかし、フィクションだからといって馬鹿にしてはいけません。この歌と伝説が長く語り継がれてきたのは、道真を哀れみ、愛した人々がいたことを示しています。

（宋　晗）

菅原道真

このコラムでは、生身の人間としての菅原道真（八四五～九〇三）について紹介します。菅原道真は平安時代を代表する政治家、儒学者、詩人です。菅原氏は儒家《じゅか》の名門であり、父・是善《これよし》、祖父・清公《きよぎみ》も漢学者でした。道真は天賦《てんぷ》の才を持っていましたが、同時に先代の英才教育によって学者としての力を養ったのです。家柄や個人の才能だけでなく、道真は運にも恵まれて出世街道をひた走りました。八八七年に即位した宇多天皇は、親政に意欲的でしたが、有能な実務官である菅原道真を重用しました。宇多天皇の厚い信頼を受けて、菅原道真は右大臣にまでのぼりつめたのです。しかし、出る杭は打たれるのたとえの通り、目覚ましい出世が藤原摂関家の警戒を招き、菅原道真は無実の罪で大宰府に左遷され、そのまま客死《かくし》します。

苦しみに満ちた大宰府時代でしたが、文学の面で言えば、最高傑作が生み出された時期でもありました。菅原道真の作品と言えば『百人一首』の「このたびは……」が著名でしょうけれども、彼の本業であった漢詩も味わい深いものがあります。

（宋　晗）

天神信仰

悲劇の最期を遂げた菅原道真。哀れな道真に民衆は深く同情し、やがて現代にまで伝わる天神信仰が生まれます。その経緯をたどってみましょう。

菅原道真は、没後まもなくして怨霊《おんりょう》として恐れられました。平安京で天災や疫病が多発し、道真左遷と関わりのあった高官が相次いで亡くなったからです。よく知られている話は、宮中に雷を落としたことでしょうか。そのように貴族の間で畏怖《いふ》された怨霊の噂は、またたくまに民間へと広まり、道真の霊魂が祭られるようになります。朱雀《すざく》天皇の元慶《がんぎょう》年間（九三八～九四七）には北野神社が創立され、九八七年には一条天皇の命令によって祭祀が行われることで、民間で盛り上がった天神信仰はついに公認されるに至り、以後、現代にまで受け継がれることとなりました。

ちなみに、宮中に雷を落とした話から、初期の菅原道真は火雷神と見なされていましたが、時代がくだるにつれて、福徳をもたらす神へと変貌し、学問の神となります。学問で身を立てた菅原道真にとっては、今のかたちで信仰される方が、幾分かうれしいかもしれません。

（宋　晗）

21

ふしてぬる夢路にだにも逢《あ》はぬ身は
なほあさましきうつつとぞ思ふ

臥して寝る夢の路《みち》においてもあなたにお逢いできない我が身であることは、現実においても、やはりあきれるばかりのふがいなさだと思う。

（『後撰和歌集』恋二・六二〇）

紀長谷雄《きのはせお》

「夢路」は夢の中で通い、思い人に逢うことができる道を意味します。この歌では、現実で逢えないかわりに、逢うことのできる夢においてすら、恋しい相手と逢えないことのつらさ悲しさが表現されています。先例としては、『古今和歌集』の読み人知らずの歌、

思ひやるさかひはるかになりやする迷《まど》ふ夢路に逢ふ人のなき　（恋一・五二四）

が注目されます。夢においてすら、逢いたい人に逢えない悲しさという状況がもたらすもどかしさに、九世紀の平安人は注目していたようです。

作者の紀長谷雄（八四五～九一二）は、菅原道真の愛弟子《まなでし》であり、道真の大宰府《だざいふ》左遷以降は当代随一の儒学者として世に重んじられた人物で、漢詩人としても優れていました。歌人としてはあまり名が通っていませんが、『後撰和歌集』には彼の作が右の一首を含めて三首収録されており、それなりに評価されていたと考えられます。

（宋　晗）

22

秋風に声をほにあげて来る舟は
天の門《と》渡る雁にぞありける

藤原菅根《ふじわらのすがね》

秋風の中で、漕ぐ音を高くあげてやって来る舟は、
実は空の狭い道を渡る雁なのだった。

（『古今和歌集』秋上・二一二）

「ほ」は「秀《ほ》」とも表記され、「表面にあらわれでること」を意味すると同時に、「帆《ほ》」が掛けられ、舟の縁語《えんご》となっています。舟を漕ぐ音が雁の鳴き声に似ることから、舟＝雁の比喩が意図されています。「門《と》」は海が狭くなって舟で渡る場所を指し、ここでは空の渡し場に見立てられています。作者の藤原菅根（八五六～九〇八）は漢学者であり、菅原道真と親しい間柄にありました。舟＝鳥の見立てには、独特なおもむきがありますが、実はこの歌、白居易の「秋雁　櫓声来《ろせいきた》る」（「河亭晴望《かていせいぼう》」の一句）を踏まえています。漢学者ならではの発想と言えますね。

注意を要するのが、この歌が詠まれた状況です。菅根が即興で詠んだものではなく、歌の詞書に「寛平御時后宮《かんぴょうのおんときききさいのみや》の歌合《うたあわせ》の歌」とあるように、寛平初年（八八九）頃、宇多天皇の母である班子女王《はんしじょおう》の邸で開催された歌合で披露されたものです。歌の優劣を比べ合う場で呈された自信作だったようです。

（宋　晗）

23

春風はのどけかるべし八重よりもかさねてにほへ山吹の花

菅原輔昭《すがわらのすけあき》

〔今年は三月が閏月なので春が長く〕春風はのんびりと吹くだろう、八重よりを更に重ねて美しく咲いておくれ、八重山吹の花よ。

（『拾遺和歌集』雑春・一〇五九）

歌の詞書、「三月閏《うるう》月ありける年、八重山吹を詠み侍《はべり》ける」をふまえると、理解が深まります。平安時代の暦《こよみ》である太陽太陰暦は、数年に一回、ある月をもう一度繰返すことで暦の誤差を解消する仕組みになっていました。閏月と言います。輔昭がこの歌を詠んだ年では閏月が春の三月にあたり、三月が二回繰返されたのです。三月が二月《ふたつき》もあるという、よく考えてみると不思議な状況をふまえ、春風が往年よりも長く吹き続けるのだ、という機知がこの歌の表現の根幹をなしています。

八重山吹は山吹の一種で、八重咲きの花を咲かせます。長く吹き続ける春風をうけて、この花も八重以上に花びらを重ねて美しく咲くだろう、と言うのです。機知に機知をかけた技巧的な歌と言えます。

作者の菅原輔昭は、菅原道真から数えて四代目（曽孫《ひまご》）の子孫で、中古三十六歌仙にランクインした歌人です。と同時に漢学者でもあり、いわゆる和漢兼才の教養人です。

（宋　晗）

24

久方《ひさかた》の光のどけき春の日に
しづ心なく花の散るらむ

日の光が穏やかなこの春の日に、
どうして心あわただしく花が散っているのだろう。

（『古今和歌集』恋二・五五二）

紀友則《きのとものり》

「久方の」は「天」「日」「月」「光」「雨」など、天空にかかわる語にかかる枕詞ですが、ここでは「日」の意味で用いています。「しづ心なく」は花の心を表しており、桜の花が心あわただしい気持ちで散っていることが詠まれています。「らむ」は、現在の原因推量の助動詞。光穏やかなこの春の日に「しづ心なく」花が散る理由をいぶかしむことによって、花の散ることを惜しむ歌となっています。

「しづ心なし」という語は、『萬葉集』などには見えないことばで、「静心」や「閑心」といった漢語から作られた語であることが指摘されています。紀友則は、『古今和歌集』の撰者のひとりですが、この時代の新しい表現を使っているといえます。

平安時代の最初の百年は「国風暗黒時代」とも呼ばれる漢詩文隆盛期にあたりますが、その時代に和歌も新しい表現を獲得していったのでした。

（竹内正彦）

枕詞《まくらことば》

枕詞は五音を基本とし、修飾することばが固定しています。「あをによし」→「奈良」のように固有名詞にかかるもの、「たらちねの」→「母」、「あしひきの」→「山」のように普通名詞にかかるもの、「夏草の」→「思ひ萎えて」のように用言にかかるもの、などがあります。現代語訳するときに枕詞は訳しません。しかし、本来意味がなかったわけではないのです。現代の私たちにはわかりにくくなっていますが、枕詞と枕詞がかかることばには、何かしらの関連があったはずです。例えば、「あをによし」の「あをに」は色彩の「青」「丹《に》」と言われています。平城京の建造物の豪華な色彩と、奈良の都は、意味やイメージでもつながっていたのではないでしょうか。

枕詞は、『萬葉集』に多く使われ、平安時代以降は衰退していきます。しかし、一方で「あしひきの」「ひさかたの」「ぬばたまの」といった普通名詞にかかる型の枕詞は、後々まで生き残っていきます。一首の中に楔《くさび》のように打ち込まれ、和歌を引き締める役割を果たし続けていったのです。

（谷　知子）

桜

古代における桜は、穀霊が宿る花と信じられていました。満開の桜は秋の豊作を予告し、農事を開始する合図でもありました。一方、『古事記』に描かれる桜の象徴コノハナサクヤヒメは皇祖神ニニギノミコトと結婚し、繁栄をもたらしますが、永遠の命は保証しません。桜は、豊作や繁栄と同時にはかなさ、死をも意味していたのです。

『萬葉集』では、大伴旅人（６番）の「梅花の宴」のように梅が存在感を放っていますが、『古今和歌集』以降桜が梅を圧倒していきます。その象徴が、宮中の南殿《なでん》（紫宸殿《ししんでん》）の左近《さこん》の桜です。現代の雛飾りでも、お内裏様とお雛様の前に、左近の桜と右近の橘が置かれていますから、お馴染みですね。この南殿の桜は、古くは桜ではなく、梅でした。仁明《にんみょう》天皇（八三三〜八五〇）の代になって桜に植え替えられたらしいのです。梅から桜への変化は、日本の国風文化形成の一つの象徴なのでしょう。そういう意味では桜は和歌と似通っています。梅に対する桜と、漢詩に対する和歌。中国文化に学びながらも自立の道を歩んできた両者の道のりには近いものがあると思います。

（谷　知子）

25

浦近く降り来る雪は白浪の
末《すゑ》の松山《まつやま》越すかとぞ見る

入り江の近くに降る雪は、白浪が
末の松山を越すのではないかと見える。

藤原興風《ふじわらのおきかぜ》

（『古今和歌集』冬・三二六）

末の松山は、陸奥国《みちのくに》の歌枕（コラムｐ58）。現在の宮城県多賀城《たがじょう》市に古跡とされる松があります。

君をおきてあだし心をわが持たば末の松山浪も越えなむ

（『古今和歌集』東歌・一〇九三・陸奥歌）

（あなたをおいて浮気心をもし私が持ったなら、末の松山を浪が越えるであろう）

末の松山を浪が越えることがないくらい、私が心変わりすることはありえないという誓いの歌です。この古歌《こか》以来、浮気心を持つかどうかという意味で、末の松山は恋歌に詠まれるようになります。『百人一首』四二番・清原元輔《きよはらのもとすけ》の歌も、その一例です。

契りきなかたみに袖をしぼりつつ末の松山浪越さじとは

（約束しましたよね。お互いに涙のたまった袖をしぼりながら、あの末の松山を浪が越えることがないように、私たちの愛も決して将来変わることがないことを。それなのに、あ

なたは変わってしまった）

元輔の歌は、この古歌の後日談のような失恋を詠んでいます。いきなり「約束しましたよね」と相手に詰め寄る口調が、なんとも哀切で、絶望的な響きを持っています。愛は移ろうものとわかってはいるけれども、過去の約束を持ち出して責めずにはいられない、悲しい愛の結末です。

興風の歌は、古歌を踏まえつつも、入り江の近くに降る雪を白浪に見立てた冬の歌です。宇多天皇の時代に開催された「寛平御時后《かんぴょうのおおんときのきさいの》宮歌合《みやのうたあわせ》」の題詠（コラムｐ117）なので、実際の風景ではなく、観念的な歌です。白色という共通点を持つ雪を浪と錯覚してみせて、末の松山を越えさせたのです。

時代が下って、日本最古の東北旅行記『都《みやこ》のつと』（宗久《そうきゅう》）は、多賀の国府から「奥の細道といふ方を南ざまに」歩いて末の松山に到着、松原越しにはるばると眺望したところ、波が越し、漁士の釣舟が梢を渡っているように錯覚されると記しています。

末の松山へ尋ね行きて、松原越《ご》しにはるばると見渡せば、げに波越すやうなり。蜑《あま》の釣舟どもも、さながら木末《こずゑ》を渡るかと見ゆ。

そこで詠んだ歌が、次の一首です。

夕日さす末の松山霧晴れて秋風通ふ波の上かな

（夕日がさす末の松山は霧が晴れて、秋風が通う波の上だよ）

芭蕉もこの地を訪れ、松の木立の間に建てられた墓石を見て、『古今和歌集』の古歌「君をおきて」の約束も、ついには墓石となってしまったという感懐を述べています（『奥の細道』）。

（谷　知子）

歌枕《うたまくら》

歌枕は、もともと和歌に用いられる重要なことば、またはその解説書を指していましたが、平安中期以降、和歌に詠まれる地名の意味で用いられるようになります。歌枕は、次第に「本意《ほい》（美的本性、事物がもっともすばらしい姿を見せる状態）」を形成してゆきます。すると、土地の捉え方は類型化し、観念的になってゆきます。

歌枕は、当時の人々にとって憧れです。中世の旅行記を読むと、歌枕を見たいという熱望が伝わってきます。では、現代の私たちが歌枕の風景を追体験するにはどうすればよいのでしょうか。そんな願いをかなえるために作ったナビゲーションが「古典絶景NAVI（ナビ）」（三菱自動車ウェブサイト　https://www.mitsubishi-motors.co.jp/special/weekend-explorer/koten/）です。和歌や俳句の風景を追体験する旅をナビゲートする新システムです。ミッションは、「古典に詠まれた絶景を目撃せよ。」。こうした試みは、地方の観光地の活性化、ひいては文学的価値のある景観や土地の保護にもつながっていくのではないかと期待しています。

（谷　知子）

末の松山と東日本大震災

末の松山は、宮城県多賀城《たがじょう》市八幡《やわた》の末松山宝国寺《まつしょうざんほうこくじ》の裏山のあたりと推測されていて、現在の海岸線から約二キロ内陸に入ったところに位置しています。

『古今和歌集』の古歌「君をおきてあだし心をわが持たば末の松山浪も越えなむ」（東歌《あずまうた》・一〇九三・陸奥歌《みちのくうた》）は、海岸線から末の松山まではかなりの距離があり、どんな大波でもここまでは打ち寄せないので、絶対に起こりえないことのたとえと理解されてきました。しかし、河野幸夫氏は、海底考古学の調査の結果、貞観《じょうがん》一一年（八六九）の地震のときに津波が末の松山の麓まで押し寄せ、陸の孤島のような状態になったと推測し、この古歌には貞観地震の記憶があるのではないかと提唱しています（「歌枕『末の松山』と海底考古学」（『国文学』二〇〇七年・臨時増刊号、學燈社）。

二〇一一年三月一一日に発生した東日本大震災の折、津波は末の松山の麓、宝国寺の本堂の階段あたりまで到達しました。末の松山は、再び陸の孤島の状態になり、「君をおきて」の古歌の意味が再び浮かび上がってきました。古歌には、土地の歴史や人々の共通体験が根深く刻まれていたのです。

（谷　知子）

勅撰和歌集

勅撰和歌集とは、天皇・上皇の命によって作られる歌集です。平安時代から室町時代にかけて二一集作られ、二十一代集と総称しました。『古今和歌集』『後撰和歌集』『拾遺和歌集』（『拾遺抄』）を三代集、『後拾《ごしゅう》遺《い》和歌集』『金葉《きんよう》和歌集』『詞花《しか》和歌集』『千載和歌集』『新古今和歌集』を加えて八代集、九番目の『新勅撰和歌集』から『新続《しんしょく》古今和歌集』までを十三代集と呼びます。

初代勅撰和歌集『古今和歌集』の冒頭は、「やまと歌は」で始まります。これは、当時の「から歌」つまり漢詩に対抗しようという強烈な意識の表れです。勅撰集といえば漢詩集という時代でしたが、詩歌の隆盛が国家の繁栄をもたらすという中国の儒教思想に基づき、初めて日本のことば「和歌」によって勅撰和歌集を作るという画期的な企画だったのです。当然、歌集の中で最も晴儀性が強く、政治的色彩も濃いという特徴を持っています。

『古今和歌集』が後の勅撰和歌集の規範となります。『金葉和歌集』『詞花和歌集』は例外的に一〇巻ですが、ほかは二〇巻とするのは、『古今和歌集』にならった構成です。四季・恋・雑《ぞう》を三大部立《ぶだて》とし、賀《が》・哀傷《あいしょう》・離別《りべつ》・羇旅《きりょ》・神祇《じんぎ》・釈教《しゃっきょう》その他の部立も同様です。

天皇・上皇と深く結びついていた勅撰和歌集ですが、『新勅撰和歌集』以下の十三代集となると、天皇・上皇以外の人間が実質的に支配するという事態が発生します。例えば、第九代勅撰和歌集『新勅撰和歌集』の勅命を下したのは後堀河天皇ですが、摂関家の九条道家が完成へと導いていきます。室町時代になると、勅撰和歌集の実質的企画・運営は、幕府へと移ってゆきます。例えば、室町幕府初代将軍足利尊氏は『新千載和歌集』を、二代将軍義詮《よしあきら》は『新拾遺和歌集』を、三代将軍義満も『新後拾遺和歌集』を執奏《しっそう》（天皇・上皇に奏上する）しているのです。

そして、二一番目『新続古今和歌集』（足利義教《よしのり》執奏）でもって、その長い歴史に幕を閉じます。その後、後花園天皇と足利義政《よしまさ》によって、二二番目の勅撰和歌集が企画されましたが、応仁の乱によって挫折し、結局その後勅撰和歌集が編まれることは二度とありませんでした。

（谷　知子）

26

桜散る木《こ》の下《した》風は寒からで
空に知られぬ雪ぞ降りける

紀貫之《きのつらゆき》

桜の花が散る木の下を吹く風は寒くないのに、
空が関知しない雪が降っている。

（『拾遺和歌集』春・六四）

延喜《えんぎ》一三年（九一三）三月一三日宇多《うだ》院が催した「亭子院《ていじいんの》歌合」で詠まれた和歌です。宇多院自身が勝負の判をつけており、現存最古の判詞《はんじ》として有名です。凡河内躬恒《おおしこうちのみつね》の和歌「わが心春の山辺にあくがれてながながし日を今日もくらしつ」（『新古今和歌集』では、紀貫之作。撰者の誤認か）と合わされて、勝ちました。

風に舞い散る桜の花を、降る雪に見立てた歌です。桜の花は春、雪は冬ですから、当然ながら季節が全く異なります。桜が実際の風景で、雪は非現実の風景です。暖かな春風に桜の木の下だけが雪景色。春の桜と冬の雪の情趣、美しさが融合し、季節を越えた美の世界を出現させています。まるで木の下だけにスポットライトが照らされ、幻想的な雪が降っているように思えてきます。

藤原公任《きんとう》はこの歌を貫之第一の秀歌《しゅうか》と賞賛し、藤原定家も歌論書『近代秀歌』で有名歌四首に入れています。定家の父俊成は歌論書『古《こ》来風躰抄《らいふうていしょう》』で、『古今和歌集』の承均《そうく》法師の歌を優美に詠み改めた歌として、「末の世の人の心にかなへるなり（現代のすべての人の心に満足がゆくのです）」と高く評価しています。承均法師の歌とは、

桜散る花のところは春ながら雪ぞ降りつつ消えがてにする

（桜が散るこの場所は春だけれども、雪が繰り返し降って消えにくそうだ）

（『古今和歌集』春下・七五）

です。貫之の歌と比べてみると、その達成度の違いがよくわかります。

貫之は、雪に見立てつつも雪ではないことを、「寒からで」と「空に知られぬ」と但《ただ》し書きしています。見立ての優劣は、この但し書きにかかっていると思います。

貫之の見立ての歌をもう一首挙げてみましょう。

桜花散りぬる風のなごりには水なき空に浪ぞ立ちける

（『古今和歌集』春下・八九）

（桜の花が散ってしまった風のなごりとしては、水のない空に浪が立っているなあ）

花が散った後の風のなごり（余韻）が、さざ浪のように、かすかに空に揺れる様子を水の白浪に見立てています。この歌の但し書きは、「水なき空」です。浪が立つと見立てていますが、実際の海ではないからです。

見立ては晴の場所で詠まれることの多い修辞です。人々をあっと言わせるような組み合わせであったり、人々の共感を呼ぶものであったり、さまざまなバリエーションがありますが、センスが問われる、パフォーマンスの勝負だったと思います。

（谷　知子）

紀貫之《きのつらゆき》

紀貫之は、日本の和歌史上きわめて重要な位置を占める歌人です。延喜《えんぎ》五年（九〇五）『古今和歌集』撰者となり、「仮名序」の執筆、入集歌数一位など、指導者的役割を果たしました。見立ての手法を得意とし、鮮やかな発想で自然をとらえ、斬新なことばを用いて、日常とは一線を画する芸術世界を構築しました。また、『新撰和歌』という秀歌撰も著し、秀歌とは何か、和歌の理論や歴史を自覚的に考え抜いた歌人でもありました。

承平五年（九三五）土佐守《とさのかみ》の任期を終えて帰京して間もなく旅日記『土佐日記』を執筆しています。土佐の国府を出発し、都に着くまでの五五日間の日記です。この当時男性は漢字を用い、女性は平仮名を用いるという区別があったため、貫之は女性作者を装って平仮名の『土佐日記』を書いたのです。このような実験的な作品を書いてみようと思いつく貫之のみずみずしい感性、発想力が、結果的にその後の日本文学史を大きく塗り替えていったのです。

（谷　知子）

見立て

見立てとは、「ほんとうは○○じゃないものを、○○と見なす」ことです。「仮面ライダーごっこ」やロール・プレイなど、見立てに類することは、今も行なわれていますよね。見立ては、何かしらの共通点を手がかりにして、異なるものを結びつける行為です。

朝ぼらけ有明の月と見るまでに吉野の里に降れる白雪　（『古今和歌集』冬・三三二・坂上是則《さかのうえのこれのり》）

（明け方、有明の月光かと見まがうまでに吉野の里に降っている白雪よ）

見わたせば柳桜をこきまぜて都ぞ春の錦なりける

（『古今和歌集』春・五六・素性《そせい》法師）

（見わたすと、柳の葉と桜の花をしごいてかきまぜたようで、都こそが春の錦織物なのだった。）

自然を自然に見立てる例もあれば、自然を人工物に見立てる例もあります。

見立てが生まれるきっかけは、すばらしい自然を見聞きしたときの感動です。そのとき人はじっとしていられなくなり、自分なりの解釈、説明をしようともがきます。見立ては、感動にかられた人間の愛のことばだと、私はそう思うのです。

（谷　知子）

27

冬ながら空より花の散りくるは
雲のあなたは春にやあるらむ

清原《きよはらの》深養父《ふかやぶ》

冬なのに空から花が散って来るのは、
雲の向こうはもう春なのであろうか。

（『古今和歌集』冬・三三〇）

26番紀貫之の歌と同様、雪と花の見立てです。貫之は、花を雪に見立てましたが、この歌は、雪を花に見立てています。貫之の雪を花に見立てた歌と比べてみましょう。

霞立ち木の芽もはるの雪降れば花なき里も花ぞ散りける　（『古今和歌集』春上・九・紀貫之）

「花なき里」なので、花は咲いていないのですが、春の雪が花に見えるという趣向です。深養父の歌は、上の句は普通の見立てなのですが、下の句で雲の向こう側はもう春なのかしらと思いを馳《は》せたところが新しくて、ロマンチック。『古今和歌集』の詞書に「雪の降りけるを、よみける」とありますので、歌会ではなく、実際に雪を見て詠んだようです。この歌の背景には、春を待ちわびる心があります。現代でももう冬も終わろうかという頃に、雪が降ることがあります。そんなときにこの和歌がふっと思い浮かぶのです。雪を見て、桜を幻視する行為の背景には、春を待ちわびる心が今も昔も存在しているのです。

（谷　知子）

古今和歌集

紀貫之の家集に、次のような和歌が収められています。

異夏《ことなつ》はいかが鳴きけんほととぎす今宵《こよひ》ばかりはあらじとぞ聞く

（ほかの夏はどのような声で鳴いていたのだろうか、ほととぎすよ。今宵ほどすばらしい鳴き声ではなかったと思う）　（『貫之集』八一九）

詞書によると、延喜五年（九〇五）四月六日、『古今和歌集』の撰者たちが深夜まで宮中で撰歌作業を行っていたところ、桜の木でほととぎすが鳴いたのを聞いて、醍醐天皇に求められて詠んだ歌といいます。史上初の勅撰和歌集を制作するという、みずみずしい高揚感が伝わってくるような場面です。

『古今和歌集』の撰者は、紀友則《きのとものり》・紀貫之《きのつらゆき》・凡河内《おおしこうちの》躬恒《みつね》・壬生忠岑《みぶのただみね》の四人。下命者の醍醐天皇の時代は、律令体制の立て直しがはかられた時代でした。『古今和歌集』成立もそうした動きと無縁ではありません。歌集を編み、それを勅撰和歌集とすることは、天皇を中心とした政治的文化的治世の象徴的事業だったのです。

定家本『古今和歌集』でいえば一一一一首、春上・下、夏、秋上・下、冬、賀、離別、羇旅《きりょ》、物名《もののな》、恋一〜五、哀傷、雑《ぞう》上・下、雑体（長歌《ちょうか》・旋頭歌《せどうか》・誹諧歌《はいかいか》）、大《おお》歌所《うたどころ》御歌《おんうた》・神遊《かみあそ》びの歌・東歌《あずまうた》の二〇巻で構成されています。四季は立春から始まって歳暮で終わり、恋は恋愛の段階に沿って進み、自然と人間社会の秩序が和歌によって可視化されたような配列となっています。

紀貫之の「仮名序」と紀淑望《きのよしもち》の「真名序」があり、どちらも歌論として非常に重要な存在で、後世《こうせい》に大きな影響を与えました。和歌とは何か、和歌のルーツ、和歌の力、和歌史について端正な文体で語っていて、何度読んでも飽きることがありません。

時代が下ると、『古今和歌集』の本文や解釈は学問の対象となり、様々な注釈書が作られ、師資相承《ししそうしょう》のかたちで諸説を伝えてゆく古今伝授《こきんでんじゅ》という制度が生まれます。中には秘儀と称して、荒唐無稽な解釈を披露するものも出現するようになります。『古今和歌集』が日本文学最大の権威となった証《あかし》と言ってよいでしょう。

（谷　知子）

折句《おりく》

折句は、五文字をばらばらにして、和歌の五七五七七のそれぞれの句の頭に詠みこむ方法です。

Aからころもきつつなれにしつましあればはるばるきぬるたびをしぞおもふ

（『古今和歌集』羇旅《きりょ》・四一〇・業平、『伊勢物語』九段）

句の頭に付した傍線部を連続して読んでみると、「か・き・つ・は（ば）・た」となります（当時は「ば」も「は」と表記されます）。「かきつばた」とは、水辺に生えて、五、六月頃に青紫色の花を咲かせる杜若のことです。この五文字をばらばらにして、和歌の各句の頭に散らしているのです。

折句は和歌の意味とは関係ありません。たとえて言えば、バッグや洋服にほどこす刺繍やアップリケのようなものです。美しい花や愛らしい動物を自分の持ち物に刺繍したくなる気持ちはよくわかりますよね。でも、うさぎの刺繍をしてあったとしても、バッグはバッグであって、うさぎではありません。目の前に咲く花を刺繍するように、花の名前を一首の中に折り込む、これが折句の原点なのです。

（谷　知子）

沓冠《くつかむり》

沓冠とは、折句《おりく》を複雑にしたものです。折句は五文字をばらばらにしていたのに対して、沓冠は十文字をばらばらにして、歌の各句の最初の一文字と最後の一文字に置くのです。句を人間に見立てて、頭に冠をかぶり、足に沓をはいているという意味の命名です。『徒然草《つれづれくさ》』の作者兼好《けんこう》法師が友達の頓阿《とんあ》に贈った歌を引用しましょう。

夜も涼し寝覚めの仮庵手枕も真袖も秋にへだてなき風

（『続草庵集《ぞくそうあんしゅう》』五三八）

ひらがなに直し、各句の最初の文字（冠）に傍線、各句の最後の文字（沓）に二重傍線を付してみます。

よもすずしねざめのかりほたまくらもまそでもあきにへだてなきかぜ

傍線部分を上から読むと「よねたまへ」つまり「米給へ」と、お米をくださいと頼んでいるのです。さらに二重傍線の部分を下から読むと「ぜにもほし」つまり「銭も欲し」となります。冠とあわせてみると、「米給へ、銭も欲し」と、米と銭をおねだりするという歌だったのです。まさにパズルですね。

（谷　知子）

28

逢坂も果ては行き来の関もゐず
尋ねて訪《と》ひ来《こ》来《き》なば帰さじ

村上天皇

男女の間を隔てる逢坂の関。その逢坂の関の関守も今夜はいません。訪ねてきてください。来てくれたら今夜は帰しませんよ。

（『栄花物語』巻一・月の宴）

この歌には、沓冠《くつかむり》（コラムｐ65）という修辞法が用いられています。まずは、すべて平仮名にしてみましょう。

あふさかもはてはゆききのせきもゐずたづね
てとひこきなばかへさじ

各句の最初の文字（傍線部）を続けて読んでみてください。「あ・は・せ・た・き」です。次に、各句の最後の文字（二重傍線部）をまた上から読んでみてください。「も・の・す・こ・し」ですね。続けて読むと、「あわせたきものすこし」、漢字をあてると「合わせ薫物《たきもの》少し（合わせ薫物を少し下さい）」となります。この歌の出典である『栄花物語』のエピソードを引用しましょう。

内《うち》よりかくなん、

逢坂も果ては行き来の関もゐず尋ねて訪ひ
来来なば帰さじ

といふ歌を、同じやうに書かせたまひて、御方々に奉《たてまつ》らせたまひけるに、この御返事《かへりごと》を方々さまざまに申させせたまひけるに、広幡《ひろはた》の御息所《みやすんどころ》は、薫物をぞまゐらせたまひたりける。さればこそ、なほ心異《こと》に見ゆれと、思《おぼ》しめしけり。

（『栄花物語』）

（村上天皇が「逢坂も果ては行き来の関もゐず尋ねて訪ひ来来なば帰さじ」という和歌を同じようにお書きになって、お妃たちに差し上げなさったところ、お妃たちはこのお返事を様々にお寄せになったが、広幡の御息所というお妃だけが「薫物」を差し上げたのです。帝は、さすがに広幡の御息所は他の人とは心得が違うと感心なさいました）

この和歌は、表向きは今夜私に逢いに来てくださいと誘っているように見えて、実は沓冠を用いた、薫物がほしいというリクエストだったのです。この謎解きの試験をクリアしたのは広幡の御息所だけで、他のお妃は、沓冠が分からずに、着飾って帝のもとに参上し、寵愛を失ってしまったといいます。愛されるのにも、高い教養が必要だったのですね。

沓冠・折句《おりく》は、現代で言えば「あいうえお作文」です。「あいうえお作文」とは、五十音の各行や物の名など、一音ずつ順に使って文を作ることば遊びです。例えば、友情をテーマに、「ありがとう」のお題で作ってみましょう。

あえてよかった
りりしくて
がっつのある人
ともだちでいてね
うまれかわっても

大喜利《おおぎり》の一演目として行われることも多く、新聞のテレビ欄でも時々話題になっていますよね。沓冠・折句は、ことばや仮名文字をたいせつにする文化の表れです。これからもこの文化をしっかりと受け継いでいきたいと思います。

（小野結菜）

29

ゐごひする君がはし鷹しも枯れの野にな放ちそ早く手に据ゑ

餌を欲しがっているあなたのハシタカを、霜枯れの野に放ってはいけない。早く腕にとまらせなさい。

源順《みなもとのしたごう》

（『源順集』三三五）

「ゐごひ（餌乞）」という聞き慣れない単語から始まり、「すゑ」という形の命令形で終わっている、ちょっと珍しい和歌です。「ゐ」から始まって「ゐ」で終わる、という条件をみずから課して作ったもので、他の四七音についても同様の方法で一首ずつ作ったものが、『源順集』に収録されています。配列の順番はアイウエオ…でもなく、イロハニホヘト…でもありません。それらよりさらに前の同じようなもの、すなわち「あめつちの歌」です。

「あめ　つち　ほし　そら　やま　かは　みね　たに　くも　きり　むろ　こけ　ひと　いぬ　うへ　すゑ　ゆわ　さる　おふせよ　えのえを　なれゐて」で四八音節。天《あめ》、地《つち》、星《ほし》、から始まって、末《すゑ》、硫黄《ゆわ》、猿《さる》までは二拍名詞で揃えましたが、それもここまで。最後の一二音節の意味については「馴《な》れ」とか「汝《なれ》」とか、諸説あります。「えのえを」と「え」が二つありますが、一つはア行のエの段、もう一つはヤ行のエの段で、一〇世紀中頃の消滅寸前のyeを記したものと考えられています。

「据《す》ゑ」は「すう」というワ行下二段活用の動詞による命令表現と考えられますが、古語辞典や高校古典文法の教科書に載っている命令形は「据《す》ゑよ」のはずです。これは簡単に言えば、「すゑ」が古い形、「すゑよ」が新しい形（平安時代の標準形）ということで、カ行変格活用の「来《く》」の命令形が「こ／こよ」と二つ記されているのも同じような理由です。「こ」の方は長生きして平安時代の主流だったので、活用表に載っているというわけです。

鷹狩《たかがり》は奈良・平安時代にたいへん盛んになり、平安時代の天皇はこれを好んで、蔵人所《くろうどどころ》にも鷹飼《たかがい》という職が設けられました。以後、明治維新まで大名など上流武家の遊技として行われ、室町時代には放鷹《ほうよう》の技や鷹の健康管理方法を和歌で説明した書『箸鷹《はしたか》和歌《わか》文字《もじ》抄《しょう》』まで作られます。大事にされていたようです。

源順（九一一～九八三）は『和《わ》名《みょう》類《るい》聚《じゅ》抄《しょう》』という百科辞書を編纂した漢学者であり、三十六歌仙、梨壺《なしつぼ》の五人の一人に数えられる歌人でもあります。このように書くと歴史に名を残した華々しい人のように思えますが、文章《もんじょう》生《せい》試験に合格したのは四三歳のときで、それまでは大学寮別曹の学生でした。合格年齢は本書20番の菅原道真が一八歳、22番の藤原菅根が二九歳ですから、家系的にも本流でなく支援者も無い順《したごう》は、大変不遇だったといえます。歌は三〇代後半以降のもので、知人との知的ゲームの一部ですが、安定を望みつつ「霜枯れの野」をさまよっていたのが、私には順に思えてなりません。


（勝田耕起）

和歌を読むための文法

和歌に特有の単語のことを「歌語《かご》」といいます。蛙(かへる)のことを「かはづ」、鶴(つる)のことを「たづ」(本書8番参照)という類です。語彙的にはこのように日常口語を避けることが和歌の世界では行われましたが、文法面ではどうでしょう。物語などの散文の使用例がまれで、和歌ではよく目にする言い方の一つに、「なく(に)」があります。本書15番や次のコラムの②「あさかやま」を見て下さい。「思はなくに」は現代語の「思わなくて」と形、意味(打消)とも似ていますが、「なくに」の「く」は「おそらく」「曰く」と同じもので、今の打消の助動詞とは関係ない古い語法です。他にも『古今和歌集』の、

里は荒れて人はふりにし宿なれや庭もまがきも秋の野らなる(遍昭)

の「なれや」も和歌でよく見ます。訳は「家主も老いてしまった住まいだからなのか、」で、「なれ」の正体は断定「なり」の已然形。接続助詞「バ」を伴って順接になる「なれば(や)」の古い言い方が「なれ(や)」なのでした。韻文が古態を残した例で、本書29番の命令形も同様です。

(勝田耕起)

手習い

手習いとは、文字の書き方の練習のことです。「手」は文字、筆跡のことで、「(お)手本」とはもともと、模範となる字の書かれたものの意味でした。『蜻蛉日記』に「小さき人には手習ひ歌よみなど教へ」とあり、『古今和歌集』「仮名序」にも「ふた歌(左の①②)は歌の父母《ちちはは》のやうにてぞ手習ふ人の初めにもしける」とあるので、文字修得と和歌はセットだったようです。

①なにはづに　さくやこのはな　ふゆごもり
いまはゝるべと　さくやこのはな

②あさかやま　かげさへみゆる　やまのゐの
あさきこゝろを　わがおもはなくに

『源氏物語』の『なにはづ』をだに、はかばかしう続け侍らざめれば」(「若紫」巻)は、小さな若紫が「難波津《なにはづ》」ですら文字をつなげて書くことができないことを尼が述べているところで、当時の基礎教材や修得の段階性が読み取れます。①と②では重複も多く全音節をカバーしないので、「あめつち」(本書29番参照)も使われました。一〇世紀後半の私家集『賀茂保憲女集《かものやすのりじょしゅう》』には「文《ふみ》を書き始めけるよりなむあめつちほしそらと…」と出てきます。

(勝田耕起)

源順

絶えぬるか影だにあらば問ふべきを
かたみの水は水草《みくさ》ゐにけり

藤原道綱母《みちつなのはは》

二人の仲は絶えてしまうのか。せめてこの水にあの人の影だけでもあるのなら問うこともできるのに、形見の水は水草が生えてしまったことだ。

（『蜻蛉《かげろう》日記』上巻・一〇一）

『蜻蛉日記』は、藤原道綱母が結婚生活を中心として書き記した日記文学です（コラムp74）。夫である藤原兼家《かねいえ》は、右大臣藤原師輔《もろすけ》の三男で、のちには摂政関白にまでになった政治家でしたが、その結婚生活は苦悩に満ちたものでした。

その原因のひとつには、平安時代の結婚制度をあげることができます。道綱母が兼家と結婚した時、兼家にはすでに時姫という妻がおり、長男の道隆《みちたか》も生まれていました。道綱母は兼家の正妻ではなかったのです。しかも、兼家の通い所は道綱母だけではありません。道綱母は嫉妬心や不安な思いにさいなまれながら夫が訪れてくるのを待つ生活を送らなければなりませんが、夫はそうした道綱母の内面に無頓着です。そうした生活のなかでは、ささいな諍《いさか》いがふたりの関係に決定的な亀裂を生じさせることも出てくることになります。

この日も、ちょっとしたことで言い合いになり、道綱母も心にもないことを夫に言い放ってしまいます。夫は子どもにもう来ないつもりだなどといって出て行ってしまいます。子どもをなだめながら五、六日待っていますが、やはり訪れはありません。心細い思いを心を抱えながら、ふと、夫が出て行った折につかった泔杯《ゆするつき》（髪を洗うための水を入れる器）を見ると、水がそのままとなっており、水面に塵《ちり》が浮いていました。これほどになるまで訪れがないことを思った道綱母は「絶えぬるか」の歌を心に思い浮かべるのでした。

「影だに」の「だに」は、下に意志、願望、命令、仮定条件などがある場合は、最低限の願望を示していると理解し、「せめて〜だけでも」と訳します。この場合も「ば」が仮定条件となっていますから、「せめて影だけでもあるのなら問うこともできるのに」と解釈できます。ところが影を映すべき水には塵のことをたとえつつ「水草」が生え、そのせいであの人の影さえも映さず、その影に問いかけることもできないと歌うのです。「絶えぬるか」の「ぬる」は完了の助動詞「ぬ」の連体形。ただし、完了といってもその動作や状態が終わってしまったことを示すわけでなく、むしろそれらが発生したことを示すものであることが指摘されています。したがって、ここはふたりの関係が「もう絶えてしまったのか」と嘆いているのではなく、「このまま絶えようとしているのか」と、ふたりの仲が終わっていくことを見つめ、そのはかなさにおののいているものととらえることができるでしょう。

　ただ、このように歌ったその日に夫は訪れてきました。ふたりの仲はここで途絶えることはなかったわけですが、だからといって心が通い合ったわけでもありません。道綱母ははかなきわが身をこの日記に記しながら見つめ続けていくのでした。

（竹内正彦）

蜻蛉日記

『蜻蛉日記』は、平安時代、はじめて女性が仮名を用いてわが身のことを書き綴《つづ》った日記文学です。

作者は、受領《ずりょう》階層の藤原倫寧《ともやす》の娘で、のちの権勢家の藤原兼家と結婚し、道綱を生んだ女性。本名が未詳のため、道綱母《みちつなのはは》と呼ばれます。『拾遺和歌集』などにも和歌が選ばれており、歌人としても知られ、承平六年（九三六）ごろに生まれ、長徳元年（九九五）ごろに没したと推定されています。

『蜻蛉日記』は、上・中・下の三巻から構成され、天暦八年（九五四）、一九歳で、二六歳の兼家からの求婚を受けて結婚したところから書き始められ、以降、二一年にわたる結婚生活が記されています。そこには、夫との関係からわが身の境涯《きょうがい》を見つめる、平安時代に生きたひとりの女性の姿が刻み込まれています。道綱母は、「なほものはかなきを思へば、あるかなきかのここちする」ことから、この日記を「かげろふの日記といふべし」と書きつけていますが、『蜻蛉日記』は、まさに「ものはかなき」わが身を凝視《ぎょうし》し尽くしたことによって生まれた文学作品であるといえるでしょう。

（竹内正彦）

女性の日記

そもそも日記は、日々の出来事を忘れないために書き留めておく記録でした。平安時代は、とくに宮中の儀式などが先例に従って行われたために、公卿たちにとって、その記録を残しておくことは必須のことでしたが、具注暦《ぐちゅうれき》などに漢文によって書かれるこれらの男性の日記は、あくまでも記録であり、文学とはとらえられないものでした。

こうした日記のかたちを用いて、文学作品としての日記を書いたのが紀貫之です。紀貫之は、自身を女性に仮託しつつ仮名で『土佐日記』という日記を書きました。自分を女性に仮託するということ自体、虚構を用いているわけですが、貫之はこの方法によって、記録ではなく、自身で自己の内面を描き出すという日記文学を生み出したということができます。

以後、道綱母による『蜻蛉日記』を嚆矢《こうし》として女性による日記文学が書かれていきますが、『和泉式部日記』のような物語的な性格のつよいもの、『紫式部日記』のような女房日記的な性格をもつものなど、女性による日記文学は実に多様なひろがりを見せていくこととなります。

（竹内正彦）

数奇《すき》

数奇は動詞「好く」の連用形が名詞化したことばで、一一世紀頃から登場してきました。世俗の価値観にとらわれず、和歌や音楽に全身全霊で没頭する生き方を指します。現代でいえば、風流を愛するオタクとでも言いましょうか、世間の常識からは隔たり、時には奇人変人に見られることもあります。

平安時代末期の歌人登蓮《とうれん》は、ずっと「ますほの薄《すすき》」がどのようなものか知りたいと思っていました。友人たちと語り合っていたとき、「渡辺《わたのべ》という所にその実体を知る人がいるらしい」と聞くやいなや、雨の中を飛び出して行きます。渡辺の人に会いにいったのです。鴨長明は登蓮を「いみじかりける（すばらしい）数奇者なりかし」と賞賛しています（『無《む》名《みょう》抄』）。

和歌における数奇は、次第に風流、趣味人といった調和のとれたエレガンスの意味に用いられるようになり、全てをなげうって没頭するような執着心を意味することばではなくなります。文化は時代とともに洗練されてゆくものですが、数奇もまたしだいに角がとれ、優美なものへと変質していったのです。（谷　知子）

秋の虫

古典文学のきりぎりすは今のこおろぎで、「こほろぎ」と呼ばれた虫が今のきりぎりすを指すとされています。きりぎりすは、『萬葉集』以来切ない鳴き声が人の悲しみをかきたて、平安時代以降も「きりぎりすいたくな鳴きそ秋の夜の長き思ひは我ぞまされる（きりぎりすよ、ひどく鳴かないでくれ。秋の夜の物思いは私のほうがまさっているのだから）」（『古今和歌集』秋上・一九六・忠房）などと詠まれます。漢詩文の「蟋蟀《しっしゅつ》壁に居る」（礼記《らいき》・月令《がつりょう》）や「十月蟋蟀我が牀《しやう》下《か》に入る」（詩経《しきょう》・豳風《ひんぷう》）をふまえた表現も見られます。

また、チンチロリンと鳴く松虫は古典文学では鈴虫と呼び、リーンリーンと鳴く鈴虫を逆に松虫と呼ぶというのが、通説です。『源氏物語』鈴虫巻で、光源氏は松虫・鈴虫の品定めを行い、松虫を非難し、鈴虫を賞賛しています。この鈴虫は、柏木と密通した後出家した女三宮の比喩で、今もなお彼女に執着する光源氏の未練を物語っていると言われています。虫もまた人間の心を投影する自然のひとつなのですね。

（谷　知子）

31

鳴けや鳴け蓬《よもぎ》が杣《そま》のきりぎりす
過ぎゆく秋はげにぞ悲しき

曾禰好忠《そねのよしただ》

鳴けよ、鳴け。蓬が杣のきりぎりすよ。
過ぎ行く秋はほんとうに悲しい。

（『後拾遺和歌集』秋・二七三）

「蓬が杣」は、おそらく好忠の造語です。「杣」は植林して材木を伐採する山のことですから、高く生い茂った蓬を杣山に見立てたのです。蓬はいくら育ってもさほど背丈はそう高くありません。この蓬が杣山に見えるというのは、いったいどういうことでしょうか。そう、好忠はきりぎりす（今のこうろぎ）の視点になって蓬を見ているのです。小さな虫のきりぎりすから見れば、蓬はまさに杣山です。

藤原清輔《きよすけ》の『袋草紙《ふくろぞうし》』は、「長能《ながよし》いはく、狂《おう》惑《わく》のやつ也。蓬が杣といふ事やはあると云々（長能が言うことには、好忠は狂気の歌人だ。蓬が杣などということばを使うやつがあるか）」と、藤原長能がこのことばを非難していたことを書きとめています。「狂惑」とは狂気という意味です。きりぎりすの視点で歌を詠むという奇抜な発想を、長能は「狂惑」と評したのでしょう。

しかし、この歌の主題は奇抜なものではありません。過ぎゆく秋を悲しむという発想は、王朝和歌の伝統です。

九月尽日（最後の日）、秋を惜しむ心を
詠める

明日よりはいとど時雨《しぐれ》や降り添はん暮れゆく
秋を惜しむ袂《たもと》に

（明日よりはますます時雨が降り加わることだろう。暮れゆく秋を惜しんでこぼす涙がたまった袂には）

（『後拾遺和歌集』秋下・三七二・藤原範永《のりなが》）

古典文学の暦では、七・八・九月が秋なので、九月尽日は秋の最後の日です。範永は、秋が終わるのを悲しんで涙をこぼしているのです。

きりぎりすは人間と感情を共有する存在ですから、好忠のように暮れゆく秋を悲しんで鳴いてくれます。

もろともに鳴きてとどめよきりぎりす秋の別
れは惜しくやはあらぬ

（いっしょに鳴いて引き止めてくれ、きりぎりすよ。秋の別れは惜しいではないか）

（『古今和歌集』離別・三八五・藤原兼茂《かねもち》）

この歌も九月末日、別れの席で詠まれた歌で、人との別れと秋という季節との別れと、二重の別れの悲しみが歌われています。

きりぎりすも人と同様、秋の終わりが悲しいもの。美しい秋が終われば、色のない季節が到来するのです。

（谷　知子）

32

もみぢ葉をなに惜しみけむ木の間より
もりくる月はこよひこそ見れ

具平親王《ともひらしんのう》

紅葉が散るのをどうして惜しんだりしたのだろう。〔おかげで〕木の間から漏れてくる月が今晩見られたのだ。

（『新古今和歌集』冬・五九二）

紅葉が散りつくした冬の夜にも風情のあることを詠じた歌です。一般的に、紅葉が散ったあとの景色はわびしいものですが、具平親王（九六四～一〇〇九）はそのような通念をずらして、冬の月の美しさを描いたのです。

ただ、具平親王歌に、左の歌が踏まえられていることに注意を払いたいと思います。

木の間よりもりくる月の影見れば心づくしの
秋は来にけり

（『古今和歌集』秋上・一八四・読人不知《よみびとしらず》）

こちらは、木の間から洩れてくる秋月を詠じたものです。これを足がかりにして、親王歌では紅葉が散った後の冬の風情が歌われています。『古今和歌集』の歌は誰もが知るものですから、具平親王の、先行歌のずらしに、当時の読者は感嘆したことでしょう。

有名な歌をとりこんで新しい表現を作る手法を本歌取りと言います（コラムｐ110）。具平親王の歌はその先蹤《せんしょう》として注目されるものです。

（宋　晗）

紅葉《もみじ》

紅葉とは、木や草の葉が赤や黄に色づく現象、またはその葉のことで、樹木としては、楓《かえで》や蔦《つた》が中心です。『萬葉集』では、「黄葉」の用字がほとんどですが、平安時代以降は「紅葉」が定着します。この変化の理由は、『白氏文集《はくしぶんしゅう》』（コラムｐ45）ほか唐の漢詩文が「紅葉」を用いた影響と推測されています。

紅葉は、春の桜とともに「花紅葉」と呼ばれたり、「春秋優劣論」として比較されたりと、秋を代表する景物として愛されました。時雨《しぐれ》や露によって染められるとされ、「錦」の見立ても流行します。錦の縁語「裁《た》つ」の掛詞によって「竜田《たつた》川（大和国）」が詠まれる例も多く、紅葉の名所となりました。

時代が下ると、錦の見立ては衰退し、「柞原《ははそはら》しづくも色や変はるらむ杜《もり》の下草《したくさ》秋ふけにけり」（『新古今和歌集』秋下・五三一・藤原良経）のように、したたり落ちる雫の色変わりで紅葉を表現するなど、繊細な視点による紅葉の歌も登場します。

（谷　知子）

月

月は古来夜の時間を司る神とされ、崇拝の対象でしたが、同時に友のように親しまれてもきました。童謡の「お月さまいくつ、十三七つ（十三夜の午後五時前後）」のように月の出《で》を人間の年齢になぞらえたり、月のうさぎや、月桂樹なども、月への親しみの表れでしょう。

春の朧《おぼろ》月、短夜の夏の月も愛されましたが、なんと言っても月は秋です。中国から輸入された八月十五夜、日本独自の九月十三夜の月は、王様格です。ただ、新古今時代になると冬の月が存在感を増し、盛んに詠まれるようになります。冷え寂《さ》びた冬の夜空に浮かぶ月が、幽玄《ゆうげん》の美として好まれたのでしょう。

恋歌によく登場するのは、有明の月です。陰暦一五日以後、特に二〇日以降、夜が明けかかっても空に残っている月で、恋人の別れの時刻の景色として、その余韻の深さが愛されました。

また、月は信仰とも深く関わっています。満月は悟りや仏法の真理の象徴とされ、月光は迷いの闇を照らす導きとして、釈教歌に数多く詠まれました。

（谷　知子）

33

この世をば我《わ》が世とぞ思ふ望月《もちづき》の欠《か》けたる事もなしと思へば

藤原道長

この世を私の世だと思うことだ。満月のように
欠けたところもないほどすべてが思いのままだと思うと。

（『小右記《しょうゆうき》』寛仁二年（一〇一八）一〇月一六日）

平安時代中期に権勢を思うままにした藤原道長の絶頂期の歌です。一条天皇に長女の彰子《しょうし》を入内させて中宮とした道長は、次の三条天皇には次女の妍子《けんし》を、さらに次の後一条天皇にはその妹の威子《いし》をそれぞれ入内させて中宮としていきます。このように次々に娘を入内させていくことは、その栄華が長く続くことを意味します。この「この世をば」の歌が詠まれたのは、威子が中宮となり、三后《さんこう》（太皇太后《たいこうたいごう》・皇太后《こうたいごう》・皇后《こうごう》）を自分の娘で独占することとなった、まさにその祝いの席でのことでした。

この歌は、『小右記』に記されているものです。当時、公卿たちは記録として漢文で日記を書いていましたが、小野宮右大臣と呼ばれた藤原実資《さねすけ》が残した日記が『小右記』です。そこには寛仁《かんにん》二年（一〇一八）一〇月一六日に土御門殿《つちみかどどの》で開催された宴の様子が詳しく記されています。それによれば、道長はみずから和歌を詠もうと思うから必ず返歌《へんか》をするようにと言い出し、「誇りたる歌」であるが準備してきたもの

ではないとしつつ「此世乎《このよを》は我世《わかよ》と所《そ》思《おもふ》望月《もちつき》乃《の》虧《かけ》たる事《こと》も無《なし》と思《おも》へハ」と詠んだとされています。そして、この歌を聞いた実資は「御歌優美なり」として、返歌を作ることはできないため皆で口に出して歌うことを提案して、諸卿とともに数度吟詠《ぎんえい》したのだといいます。

「この世をば」の「をば」のように、格助詞「を」に係助詞「は」が接続すると、「は」は濁音化して「ば」となります。「我が世とぞ」の「ぞ」も係助詞で、「思ふ」が連体形で結んでいますので、この歌は二句切れとなっています。そして、そのように思う理由を下に歌っていますので、倒置法が用いられることによって、「この世をば我が世とぞ思ふ」という部分が前面に強く押し出され、強調されていることがわかります。

「この世」を「我が世」といってはばからない道長のこの歌は、自身の栄華を、まさに「誇りたる歌」であると見ることができます。また、その歌を、声をそろえて歌いあげる公卿たちの姿はその権勢におもねっているといわれて仕方がないものといえます。一方、この歌が詠まれたのが「十六夜」で「望月」ではないことに注目し、この歌にはすでに欠けはじめた栄華のはかなさが詠み込まれているとの見方もあります。

道長がこの栄華の頂に登り詰めるためには、それこそ多くの苦難をのりこえなければなりませんでした。この日、道長の胸にはさまざま思いが去来したことでしょう。宴の場における歌であることを重視するのならば、ほんとうにうれしい気持ちを酔いにまかせてつい口にしてしまったととらえることもできるかもしれません。

いずれにしても「この世」を「我が世」とするこの歌は、この日の、この道長でしか歌えないものだということはいえるでしょう。

（竹内正彦）

道長の時代

　平安時代、藤原氏は帝《みかど》の外戚《がいせき》（母方の親戚）となることによって権勢を手に入れていきました。藤原氏はそのために自分の娘を帝に入内《じゅだい》（帝と結婚すること）させます。帝とその娘の間に男皇子《おとこみこ》が誕生し、その子が帝になれば、その藤原氏は帝を補佐する名目で権力をふるうことができたのです。帝が幼少のころは摂《せっ》政《しょう》として、成人したのちは関白《かんぱく》として政治を執《と》ることからこうした政治は摂関《せっかん》政治と呼ばれますが、こうしたことができたのは、この時代、子どもの養育が母方においてなされていたことが大きかったようです。帝といえども、とくに母方の祖父には従わざるを得なかったのです。

　この摂政関白の地位をめぐって、藤原氏たちは一族のなかで熾烈な政治闘争を繰り広げていきましたが、その闘争を制したのが藤原道長なのでした。

　一方、この政治闘争が文学の母胎となったともいえます。摂政関白の地位を手に入れるためには、娘に帝の皇子が誕生することが必要です。藤原氏たちはすぐれた女房たちを娘の周りに集め、そこからすぐれた文学作品が生み出されていったのです。　（竹内正彦）

彰子サロン

　娘の入内と皇子の誕生を前提とする摂関政治においては、後宮がもうひとつの政治の舞台となります。帝《てい》寵《ちょう》を競う後宮の女性たちの周りには、それぞれすぐれた女房たちが集められ、文学サロンと呼ぶべき女房集団を形成していました。

　『栄花物語』によれば、藤原道長の娘である彰子が入内したときには女房が四〇名いたことが記されていますが、そのなかには文才をもった多くの女房たちが含まれていたことでしょう。事実、彰子には、『源氏物語』や『紫式部日記』を書いた紫式部、天才的な歌人であり、『和泉式部日記』の作者でもある和泉式部のほか、歌人として知られる赤染衛門《あかぞめえもん》や伊勢大輔《いせのたいふ》などが女房として仕《つか》えていました。後宮の女性たちは折々に歌を詠むことが求められますが、時にはこれらの女房たちが彰子の歌を代作したことも考えられるでしょう。

　すぐれた文学作品はすぐれた読者なしには成立しません。紫式部の『源氏物語』もこうした才知あふれる文学サロンを背景に生み出されたということもできるのではないでしょうか。　（竹内正彦）

紫式部

『源氏物語』の作者とされる紫式部ですが、生没年をはじめとして、本名も明らかにされていません。「紫式部」というのは宮仕えに出る折に用いられた呼び名(女房名)で、もともとは「藤式部《とうしきぶ》」であったと考えられています。「藤」は藤原氏であることを示し、「式部」は父や兄弟の官職名によるものとされます。「紫式部」と呼ばれるようになったのは、やはり「若紫」や「紫の上」といった『源氏物語』に由来すると考えられます。

紫式部の父藤原為時《ためとき》は、受領階層の人でしたが漢学者としても知られていました。紫式部はこの父親の影響で、漢籍の知識が豊富であったようです。また、越前守になった父親に伴われて越前に下向した経験もあります。藤原宣孝《のぶたか》と結婚しますが、娘賢子《けんし》(歌人の大《だい》弐三位《にのさんみ》)を授かったのちに死別。その後、『源氏物語』を書き始めたとされます。そして、その評判を聞いた藤原道長によって彰子の女房として迎えられることになったといわれます。この彰子の出産の記事を中心に記しているのが『紫式部日記』ですが、そのなかには他の女房に対する厳しい批評も含まれており、紫式部の価値観の一端を知ることができます。　(竹内正彦)

源氏物語

『源氏物語』は、平安時代中期に成立した物語文学です。主人公の光源氏がさまざまな女性たちと恋をし、挫折を乗り越えて絶対的な権力の座を手に入れながらも、やがて絶望の淵に沈んでいくといった物語展開のなかで、そこに生きる人びとの心の底が精緻な筆致によって描き出されていきます。全五四帖。登場人物はおよそ四五〇名。四代の帝の御代、七〇余年にわたるこの長編物語は、日本古典文学を代表する作品のひとつであり、能や歌舞伎などの題材として用いられてきたほか、現在でも作家によって現代語訳が試みられ、マンガやアニメなどにも翻案されています。

この『源氏物語』には七九五首もの歌が作中人物たちによって歌われています。恋心を訴える歌、死を悲しむ歌、滑稽な歌など、実にさまざまな歌が人物や状況によって登場してきます。そこには上手な歌も下手な歌も含まれていますから、それらすべてを紫式部ひとりが作ったとするならば、驚嘆に値することですが、むしろ驚くべきは、そのようなことを感じさせないほど、それぞれの歌がその人物、その場面にふさわしいものとなっているのです。　(竹内正彦)

34

水鳥を水のうへとやよそに見む
われも浮きたる世をすごしつつ

紫式部

あの水鳥を水の上で屈託なく遊んでいるものと、どうしてよそごとに見ることができましょうか。この私もあの水鳥と同様に頼りなくつらいこの世を過ごしているのです。

（『紫式部日記』六）

寛弘五年（一〇〇八）九月一一日、藤原道長の邸宅である土御門殿《つちみかどどの》で、紫式部が仕えていた中宮彰子が一条天皇の皇子（敦成《あつひら》親王、後の後一条天皇）を出産します。道長にとって、これは待ちに待った慶事でした。摂関家としての権勢を手に入れるためには、娘である彰子に皇子が誕生することは不可欠であり、それがここに実現したのでした。

『紫式部日記』は、『源氏物語』の作者とされる紫式部による日記文学です。ただし、日記といっても毎日の出来事を書いたものではありません。また、後半には和泉式部、赤染衛門、清少納言などの女房たちに対する批評も記されており、どのように成立したかについてはわからないところもありますが、そこにはこの時代に生きたひとりの女房の内面を垣間見ることができます。

この『紫式部日記』のなかで、紫式部はこの出産の前後のことを詳しく書き残しています。出産を待つ人びとの期待と不安。安産であったことの喜び。そして、御湯殿《おゆどの》の儀《ぎ》や、三日、五日、七日、九日と、盛大な産養《うぶやしない》がうち続きます。そうしたなか、道長は朝に夕にやってきては、乳母《めのと》の懐《ふところ》のなかの皇子をのぞき込み、時には眠っている乳母を起こしてしまうこともあったといいます。また、ある時には皇子が道長におしっこをかけてしまったことがありましたが、その折にも道長は直衣《のうし》を火にあぶって乾かしながら、「この皇子の尿《しと》に濡れることはうれしいことだ。この濡れたのを火にあぶるのは思いがかなった心地がすることだ」といってよろこんだといいます。道長がこの皇子の誕生をいかに待ちわびていたかがわかるエピソードです。

さらに一〇月一六日、この土御門殿に一条天皇が行幸《ぎょうこう》します。天皇を自邸に迎えることは臣下のものとしてこのうえない名誉なことです。この時も、道長はみずから皇子を抱いて、天皇のもとに連れていったとされています。

しかし、誰もが喜びに浮き立ち、華麗に磨きあげられる土御門殿にあって、紫式部は拭い去りがたい違和感にさいなまれます。この世の華やかさに見聞きすればそのぶん、この世の無常を思わずにはいられず、仏道にひきつけられていくのでした。そんなとき、ふと外をみると池の水鳥が何の物思いもなさそうに遊んでいます。紫式部は、そのような水鳥に自身の姿を重ねて「水鳥の」の歌を詠んだのでした。

「や」は、反語《はんご》を示し、水鳥を「よそに」見ることはできないとします。そして、「浮き」に「憂き」を掛けながら、表面的には楽しげに見えながら身に苦しみを抱えているだろう水鳥と同様、「われも」浮わついたつらいこの世の過ごしているのだと歌っています。

この歌には、周囲の熱狂にのみ込まれることなく、むしろ周囲が熱狂するほどに醒めていかざるを得ない理知的で孤独な精神が感じられます。

（竹内正彦）

35

もの思へば沢の蛍もわが身より
あくがれ出《い》づるたまかとぞ見る

和泉式部《いずみしきぶ》

強く物思いをしていると、沢辺で飛び交う蛍が、私の身体から
さまよい出た魂ではないかと見えた。

（『後拾遺和歌集』雑六・一一六二）

夏の風物詩ともいえる「蛍」は、ホタル祭り、ホタル狩りなど、優美なものとして現代人に愛されている昆虫です。『源氏物語』「蛍」巻にも、蛍を放ち、その光に照らして女性の姿を見る場面が描かれ、みやびな色好みの行為として印象的です。しかし、古代日本では、蛍は恐ろしいものでした。例えば、『日本書紀』には、次のような記述が残されています。

然《しか》れどもその地に、多《さは》に蛍火なす光る神と
蝿声《さばへ》なす邪神《あしきかみ》と有り。（『日本書紀』巻二）

ここでの蛍は、天空の星ともされますが、「蝿声なす邪神」と同じく邪悪な神であって、優美なものとはほど遠い存在です。当時の人にとって闇の中に光る蛍は、不可思議で、妖しい人魂《ひとだま》のように見えたのかもしれません。

和泉式部の歌も、蛍を見て人魂と錯覚しています。詞書によると、和泉式部が男（二番目の夫藤原保昌《やすまさ》）に忘れられてしまった頃、恋の祈願に参った貴船神社の御手洗川《みたらしがわ》で蛍を見て詠んだといいます。当時は、激しく誰かを思うと、

魂が身体から遊離すると考えられていました。いわゆる「遊離魂」です。夫婦仲に苦しむ和泉式部は、あまりにも強く物思いをしていたので、目の前に飛ぶ蛍を見て、自分の魂が身体から抜け出てしまったのかと驚いたのです。まさに女の情念です。和泉式部は自分自身の内なる情念の強さ、恐ろしさを冷静に自覚していたのでしょう。

江戸時代の『狂歌若葉集《きょうかわかばしゅう》』に次のような恋の狂歌があります。

ものおもへば川の花火も我身《わがみ》よりぽんと出《いで》たる玉やとぞ見る

（物思いをすると、川の花火も我が身よりぽんと音をたてて出た玉〈魂〉かと見える）

和泉式部の歌の本歌取りです。川は川でも江戸の隅田川、蛍は両国の花火に転じられています。「玉」は、「たまやー！」のかけ声で有名な江戸時代の花火製造店玉屋と、恋のために肉体から遊離した「魂」を掛けています。和泉式部の歌のような悲壮感はなく、ダイナミックで、ダジャレのようなおかしみがあります。

現代では、遊離魂の恋歌は、演歌やＪポップの歌詞に見ることができます。一九八四年に発表された阿久悠作詞『北の螢』（森進一歌唱）はその一例です。一途に想い続ける女心が蛍火に託され、壮絶な愛の物語に仕立てられています。和泉式部の恋歌は、現代の演歌やＪポップにも受け継がれているのかもしれません。

闇夜に光る蛍火の恐ろしさと美しさは、古くから人の心をとらえてきました。妖《あや》しく光る蛍火は、これからも様々な芸能、文学の中で描かれ、愛され続けることでしょう。（榎田百華）

36

見てもまたあふよまれなる夢の中《うち》に
やがてまぎるるわが身ともがな

光源氏

このようにお逢《あ》いしても再びお逢いすることがめったにないのですから、この夢の中にこのまま紛れるわが身としてしまいたいことです。

（『源氏物語』「若紫」巻・六〇）

『源氏物語』の主人公である光源氏が理想の女性としたのが、父桐壺帝《きりつぼてい》の中宮で、義母にあたる藤壺《ふじつぼ》でした。藤壺への思いをどうしても抑えることができない光源氏は、ついに密通を犯してしまいます。しかし、あまりにも藤壺に憧れていた光源氏は、ようやく逢ってもそれが現実とは思えず、夢のように感じてしまうのでした。

やがて短い夜が明けていきます。しかし、どうしてもここを離れたくない光源氏は、「見てもまた」の歌を詠み、嗚咽《おえつ》します。さすがに心揺さぶられた藤壺は、このままでは世の語り草となってしまうでしょうと諭すように歌で答えるのでした。

この「もののまぎれ」と呼ばれる場面は、許されない密通を語っていますが、本居宣長《もとおりのりなが》が評したとおり、「恋の物語のあはれのかぎり」を描き尽くしたものといえるでしょう。

（竹内正彦）

光源氏

37

袖ぬるるこひぢとかつは知りながら下り立つ田子《たご》のみづからぞうき

六条御息所《ろくじょうのみやすどころ》

袖が濡《ぬ》れる泥のような恋路とは一方では知りながら、その泥の中に下り立つ農夫のように恋路にのめり込んでしまった私自身がつらいことです。

（『源氏物語』「葵」巻・一一五）

『源氏物語』のなかで、六条御息所は、物《もの》の怪《け》として光源氏の正妻葵の上をとり殺してしまいますが、その遠因は光源氏にあるといえます。光源氏は、通い所の一人であった六条御息所にしだいに愛情を感じられなくなっていきますが、六条御息所はこの恋をあきらめることができません。六条御息所は愛執に苦しみます。「こひぢ」には「こひぢ（泥）」と「恋路《こひぢ》」とが掛けられ、泥に入り込む農夫の姿に抜け出せない恋路にあがく自身が重ねられています。六条御息所は、故前坊（亡くなった前の東宮）の妃でしたから、とても高貴でプライドの高い女性でした。その六条御息所は、どうかこの泥沼のような恋から救い出してほしいとの思いを込めて、自分からこの歌を光源氏におくりますが、光源氏からの返歌《へんか》はそっけないものでした。

六条御息所の魂が葵の上に取《と》り憑《つ》いてしまうようになるのは、もはや必然的なことであったのです。

（竹内正彦）

光源氏

『源氏物語』の主人公である光源氏は、さまざまな女性たちに恋をします。そのため、どうしてもプレイボーイという印象を持たれてしまいます。しかし、それは古代の物語主人公の典型的な描き方であったといえます。古代の物語は神話や伝説の伝統を受け継いでいますので、身分も高く完全無欠な人物を主人公に据えます。恋愛においても、その主人公は多くの女性を惹きつけてやまない魅力をもった人物として描かれるのです。

　光源氏もそうした古代物語の主人公として、一面では典型的な描かれ方がされているといってよいでしょう。しかし、一方で、光源氏は藤壺というたったひとりの女性を強く思うのです。光源氏の父桐壺帝が桐壺更衣を愛したがために死に追いやってしまったように、たったひとりの女性を愛するという現代ではあたりまえのこの愛のあり方が物語世界では悲劇を招いていきます。藤壺は父桐壺帝の中宮であり、光源氏の義理の母にあたる女性でした。光源氏がもっとも愛した女性は、もっとも愛してはならない女性でもあったのです。

（竹内正彦）

源氏物語の女君

『源氏物語』には多くの女君《おんなぎみ》たちが登場してきます。光源氏が理想の女性とする藤壺《ふじつぼ》。その藤壺の面影を宿しながら光源氏の生涯の伴侶《はんりょ》となる紫の上。心が通じ合わない正妻、葵の上。その葵の上を嫉妬のあまり物の怪となってとり殺してしまう六条《ろくじょうの》御息所《みやすどころ》。光源氏を拒みつづける朝顔の姫君。自身の身分ゆえに光源氏から逃れる空蟬《うつせみ》。謎多き女性として登場し、はかなき死をとげる夕顔。醜貌《しゅうぼう》の女君、末摘花。流離先でめぐりあって光源氏との間に姫君を生む明石の君。光源氏の養女として中宮となる六条御息所の娘、秋好《あきこのむ》中《ちゅう》宮《ぐう》。夕顔の娘で、光源氏が創設した六条院に迎え取られ、多くの貴公子から求婚を受けることとなる玉鬘《たまかずら》。光源氏が晩年になって正妻として迎えるものの柏木と密通を犯してしまう女三の宮。そして、光源氏亡きあと、薫や匂宮《におうみや》に愛されることとなる大君《おおいぎみ》、中の君、浮《うき》舟《ふね》……。これらの女君たちは誰ひとりとして幸福になることはありません。『源氏物語』は、一面において、このうえない美貌と権勢をもった貴公子に愛されながらも、苦悩を深め、やがて絶望の淵に沈んでいく女君たちの物語ともいえるのです。

（竹内正彦）

38

よもすがら契《ちぎ》りしことを忘れずは
恋ひん涙の色ぞゆかしき

定子《ていし》中宮《ちゅうぐう》

一晩中約束してくださったことをもしお忘れではないのであれば、
私のことを恋しく思ってくださるだろう涙の色を知りたいことです。

(『栄花物語』巻第七「とりべ野」哀傷・四一)

一条天皇の中宮であった定子（コラムp96）は、長保二年（一〇〇〇）一二月一六日に薨去《こうきょ》します。時に二四歳。媄《び》子《し》内親王を出産した直後のことでした。『栄花物語』巻第七「とりべ野」には、前日の夜に出産した後、後産のこともないまま長らく時間が経《た》ったため、兄の伊周《これちか》が灯《ともし》火《び》を掲げて定子の顔を見たところ、すでに息を引き取っており、体もすでに冷たくなっていたと語られています。

『枕草子』では理想的な中宮として描かれていた定子でしたが、『栄花物語』では父道隆薨去後、次々に悲運に見舞われる姿が語られていきます。中宮であった定子が皇后とされ、道長の娘である彰子が中宮となったこともそのひとつであり、このことによって一帝に二后が並立することになります。一条天皇にとって定子はたった一人の后ではなくなったのです。

「よもすがら」の歌は、定子の御《み》帳《ちょう》台《だい》の紐《ひも》に結びつけられていたもので、一条天皇にむけて詠まれた三首の辞世のうちのひとつです。

「よもすがら」は、一晩中の意。「契りしこと」は、約束したことの意ですが、「し」は直接経験の過去を示していますから、以前、ふたりが永遠の愛を誓いあっていたことを思わせます。「忘れずは」の「は」は清音ですが順接の仮定条件を示します。「ゆかしき」は、心ひかれる気持ちを表し、見たい、聞きたい、知りたいなどと現代語訳される「ゆかし」の連体形で、「ぞ」の結びとなっています。もし愛情が変わらないのならあなたの「涙の色」を見たいということになりますが、この時、期待されている「涙の色」は、「紅」色です。あまりの悲しみや度をこした怒りを抱いたとき、血の涙が流れるとされ、それは「紅涙」「紅の涙」などとも表現されます。定子は、愛してくださった一条天皇なら、きっと自分の死をこの血の涙を流すほどに悲しんでくださるだろうと歌っているのです。

　残りの辞世として『栄花物語』は次の二首を載せています。

知る人もなき別れ路に今はとて心細くも急ぎたつかな

煙とも雲ともならぬ身なりとも草葉《くさば》の露をそれと眺《なが》めよ

前者の歌には、たったひとりで死んでいかねばならない心細さが歌われていますが、後者の歌は自身の死後の処置についての遺言といえます。自分は「煙」にも「雲」にもならないから、「草葉の露」を見て偲《しの》んでほしいと歌っていますから、当時一般的であった火葬ではなく、土葬を望んでいるのです。

　なぜ定子が土葬を望んだかは明らかになりませんが、『栄花物語』には、定子の葬送の日は雪が降りしきり、あたり一面を白く覆ったとされています。悲劇的な中宮、定子に似つかわしい、悲しくも美しい情景だといえるでしょう。

（竹内正彦）

39

よしさらばつらさは我《われ》にならひけり
頼《たの》めて来《こ》ぬは誰《たれ》か教《をし》へし

清少納言

わかりました、それなら恨めしさは私に学んだのです。
では、あてにさせて来ないということは誰が教えたのですか。

（『詞花和歌集』雑上・三一六）

この歌は詠まれた状況がわかるとよく理解できます。『詞花和歌集』の詞書《ことばがき》には次のようにあります。

頼《たの》めたる夜《よ》、見えざりける男《をとこ》の、後《のち》にまうで来たりけるに、出《い》で逢《あ》はざりければ、言ひわびて、「つらきことを知らせつる」など言はせたりければ、よめる

「頼めたる夜」の「頼め」は「あてにさせる」の意味ですから、たとえば、男から「今夜あなたのところに行くよ」というようなことばがあって、そのことばをあてにして待っていたことを言います。ところがその男はその夜にはやって来ず、後になってやってきました。清少納言は、当然そのような男は無視をして逢《あ》うことはありません。すると、男はうろたえて、「あなたが私に『つらきこと（人を恨めしいと思うこと）』を教えたのだ」と人を介して言ってきたので、清少納言は、男に対してこの歌を詠んだのでした。

「よしさらば」は不満ながら仕方がないとす

ることばです。この歌では、さきの男の「つらきこと」はあなたが私に教えたのだということばを受けて、不満ではあるものの、あなたがそういうのなら、まあよいでしょう、そういうことにしておきますと言うのです。しかし、そのように受けながら、下の句では、では、「頼めて来ぬ（頼みにさせておいてやって来ない）」というのは、誰が教えたのですか、誰も教えてはいないのではないですかと切り返していきます。そこには詰問するような厳しい口調までもが感じられるのではないでしょうか。

清少納言は、清原元輔の娘です（「清少納言」は本名ではなく、女房として出仕する折の呼び名であり、その「清」は清原、「少納言」は近親者の官職名に由来するとされます）。清原元輔は著名な歌人でしたが、清少納言は、だからこそ歌を詠むことに慎重であったようです。

しかし、清少納言は、女房として定子中宮に仕えました。『枕草子』のなかでも男性貴族たちとの交流が記されていますが、中宮に仕える女房ともなれば、そうした男性貴族たちをむこうにまわして歌などのやり取りをしなければなりません。女房の評価は中宮の評価につながります。もちろん、男性貴族と女房とでは、その力関係は歴然としています。しかし、歌のやりとりにおいては、身分制度の枠はいったんはずされます。そして、むしろ男性貴族たちの歌を切り返すことの方が評価されたのです。

社交の場での歌は、早く、しかも当意即妙《とういそくみょう》であることが求められます。そこでの和歌は文学というよりも、実用に近いものでした。男性貴族たちに対抗し得る学識と知性とを身につけた女房だけが、自身と自身が仕える中宮を守ることができたのです。

（竹内正彦）

枕草子

『枕草子』は、平安時代中期に定子中宮に仕えた清少納言によって書かれました。跋文《ばつぶん》（あとがき）には、その執筆に至る経緯が書かれています。それによれば、内大臣藤原伊周《これちか》（定子中宮の兄）が中宮に紙を献上した折、中宮が何を書こうかと言ったのに対して、清少納言が「枕にこそはべらめ」（枕がよいでしょう）と答えたため、この紙が与えられたのだといいます。この「枕」が何をさすかについては諸説があるものの、これが書名の由来となっています。

現存する『枕草子』は長短さまざまな章段から構成され、類聚章段、随想的章段、日記的章段という三種類に分類されていますが、ここで注目しておきたいのは、日記的章段と呼ばれる章段群です。清少納言は定子中宮に近侍《きんじ》していた女房ですが、この『枕草子』のなかに晩年の悲劇的な定子の姿は一切書き留めていないのです。『枕草子』のなかの定子中宮はやさしく美しく、理知的で理想的な中宮のままです。清少納言は現実にはそのようにあり続けることができなかった定子中宮の姿をこの『枕草子』のなかに永遠に封じ込めようとしたのかもしれません。

（竹内正彦）

定子中宮

定子中宮は、正暦元年（九九〇）、一四歳の時に、一一歳の一条天皇に入内《じゅだい》しました。この結婚は天皇の外戚として権勢を誇ろうとする父藤原道隆《みちたか》の意向によるもので、同年、定子は中宮に立てられました。清少納言が定子中宮のもとに出仕したのは、正暦四年（九九三）ごろとされています。『枕草子』には、定子中宮を中心とした風雅で華やかな宮廷生活が綴《つづ》られています。

ところが、長徳元年（九九五）に道隆が死去すると、事態は急変します。長徳二年（九九六）に兄の伊周と弟の隆家《たかいえ》の従者が花山院に矢を射かけるという事件を契機として、兄弟は流罪に処せられて、定子中宮も出家をしてしまいます。この事件の背後には、道長の思惑も指摘されています。権勢を手に入れようとする道長にとって道隆家（中関白家《なかのかんぱくけ》）の人びとは邪魔な存在だったのです。長保二年（一〇〇〇）二月、定子は皇后となり、道長の娘彰子は中宮となりますが、これも自身の娘を中宮にしたい道長の意向によるものでした。同じ年の一二月、失意のなか、定子皇后は二四歳で亡くなりました。

（竹内正彦）

能《のう》因《いん》

能因は、姓は橘、俗名は永愷《ながやす》です。永延二年（九八八）生まれ。出家後、東北地方をはじめ諸国に下向、旅の歌を数多く詠み残しています。

数《す》奇《き》人（コラムp75）で知られ、常々「数奇給へ。数奇ぬれば、歌は詠むぞ（没頭しなさい。没頭すれば、歌は詠むことができるぞ」（『袋草紙《ふくろぞうし》』）と語っていたといいます。

都をば霞とともに立ちしかど秋風ぞ吹く白河の関

（『後拾遺和歌集』羇旅・五一八・能因）

（都を霞が立つとともに出発したが、もはや秋風が吹いてる。この白河の関では）

東北に下向したときに白河の関（福島県）で詠んだと詞書にありますが、実は陸奥国には下向しておらず、ひそかに自宅に引きこもり、下向の噂を立てた（『袋草紙』）とか、旅行してきたと見せかけるために日焼けする努力をした（『古今著聞集』）などと伝承されている歌です。もちろん、実体験なのでしょうが、こうした説話ができるほど、能因には数奇のイメージがまとわりついていたのです。後の西行、芭蕉などに大きな影響を与えた歌人でもあります。

（谷　知子）

歌《か》徳《とく》

歌徳とは、和歌を詠むことによってよい結果を得る、俗なことばで言えば得をすることです。その現象自体は古くから見受けられますが、「歌徳」の用語は平安末期頃に登場します。一例を挙げてみましょう。

位山《くらゐやま》谷の鶯人知れず音《ね》のみなかるる春を待つかな

（官位の昇進が遅れ、私は谷の鶯が鳴くように人知れず声を上げ泣く春を待つことよ）

このこと鳥羽院に申させ給ひければ、歌のあはれにとて給はりにけり

（『藤原清輔朝臣集』四〇五）

「位山」は官位を山に見立てた表現です。鳥羽院がこの歌に心を打たれて、階を賜った、出世がかなったというのですから、まさに歌徳です。

和歌には大きな力があるという考え方は、『古今和歌集』「仮名序」「力をも入れずして、天地《あめつち》を動かし、目に見えぬ鬼神《おにがみ》をもあはれと思はせ、男女の仲をもやはらげ、たけき武士《もののふ》の心をもなぐさむるは歌なり」がルーツと考えるべきでしょう。

（谷　知子）

40

天の川苗代水《なはしろみづ》にせき下《くだ》せ
天降《あまくだ》ります神ならば神

能因《のういん》法師

天の川から苗代水として堰《せ》いて地上に落としてください。
天から降臨して、雨を降らせる神様ならば、その神様よ。

（『金葉《きんよう》和歌集』雑下・六二五）

出典の『金葉和歌集』に長い詞書と左注があります。

範国《のりくに》朝臣に具して伊予国《いよのくに》にまかりたりけるに、正月より三四月までいかにも雨の降らざりければ、苗代《なはしろ》もえせでさわぎければ、よろづに祈りけれど、かなはでたへがたかりければ、守《かみ》、能因を歌詠みて一宮にまゐらせて祈れと申しければ、まゐりて詠める
（和歌略）
神感ありて大雨降りて、三日三夜を止《や》まざよし、家の集に見えたり。

概略を説明しますと、平範国《のりくに》（史実は藤原資業《すけなり》）に伴って伊予国（愛媛県）に下向したとき、長久二年（一〇四一）正月から三、四月まで雨が降らなかったため、苗代《なわしろ》もできず困りきっていました。様々なお祈りをしましたが、効き目がなくて途方にくれていたところ、能因がこの和歌を詠むと、神に通じ、三日三晩雨が降り続いたというのです。和歌が神の心を動かした歌《か》徳《とく》説話（コラムｐ97）の例です。この神様は、

一宮明神（新居浜《にいはま》市）とも、大山祇《おおやまつみ》神社（今治《いまばり》市大三島《おおみしま》町）とも言われています。実際は、伊予国で行われた歌合の歌だったという説もありますが、能因の名声とともに広がった説話でしょう。

　能因から強い影響を受けた歌人西行は、紀伊《きい》国《くに》（和歌山県）の吹上《ふきあげ》で暴風雨に遭遇したとき、40番の歌を想起しつつ、次の二首を詠んで、吹上の社に書き付けます。

天降る名を吹上の神ならば雲晴れのきて光あらはせ

（天から降臨して吹上という名を持つ神であるならば、雲を吹き上げ、空を晴れさせ、日の光を現わしてください）

苗代にせき下されし天の川とむるも神の心なるべし

（能因の祈雨の歌によって苗代水として堰き下された天の川よ。その水を止めるのもまた神の御心でしょう）

（『山家集』七四八・七四九）

能因とは逆に、止雨祈願です。この後、たちまち西の風が吹き変わって、雲が晴れて、うらうらと太陽が出たというのです。その後、吹上の浜や若の浦を思う存分観光できたといいます。能因の和歌の力を西行が継承し、奇跡を起こしたという逸話です。

　能因は、歌人必携の歌ことば解説書『能因《のういん》歌枕《うたまくら》』を執筆し、また歌人別の秀歌撰『玄々《げんげん》集』を制作しています。自分自身の和歌も家集『能因集』に集成するなど、歌人としての自覚をもって活動していたと思われます。能因の精神は、西行を経て、近世の芭蕉に受け継がれました。

（谷　知子）

41

あさ緑花もひとつにかすみつつ
おぼろに見ゆる春の夜《よ》の月

浅緑色に花もひとつとなって霞んでいて、
おぼろに見える春の夜の月ですよ。

菅原孝標女《すがわらのたかすえのむすめ》

（『更級日記』六三）

『新古今和歌集』の詞書では女房や殿上人たちが集まっていたときの歌とされていますが、『更級日記』には源資通《みなもとのすけみち》という貴公子との思い出とともに記されています。

『更級日記』は、菅原孝標女による回想記ですが、そのなかの宮仕えをしていたころのことです。一〇月初旬のとても暗い夜に、孝標女は、偶然、もの静かな貴公子と出会いますが、その折、貴公子が春と秋どちらの風情がすぐれているかを尋ねます。

春と秋のどちらが優れているかという議論は『萬葉集』の時代からあるもので、春秋優劣論と呼ばれます。花が霞に覆われて全体が浅緑色に溶け合い、空の月もぼんやりと見える春の情景を詠んだこの歌で、孝標女は春が優れていることを述べたのです。

ほんのささやかな出来事ですが、少女時代に物語に憧れを抱いていた孝標女は、この時のことをまるで物語のひとこまのようにその日記に記しています。

（竹内正彦）

42

契りあらばよき極楽にゆきあはむ まつはれにくし虫のすがたは

虫めづる姫君

もしご縁があったら立派な極楽でめぐり逢いましょう。いっしょにいることはできませんね、そんな蛇の姿では。

（『堤中納言物語』「虫めづる姫君」一三）

　平安時代末期に成立したとされる短編物語集『堤中納言物語』の「虫めづる姫君」では、虫を愛《いと》おしむ姫君が登場します。

　この姫君は、何事も本来の姿こそ大切だという信念をもっており、化粧もせず、蝶になる前の虫を集めていました。そのなかでも毛虫には愛着があるようで、手のひらにのせて愛玩《あいがん》するほどでした。

　ある日、この姫君の噂を聞きつけた貴公子が興味を抱き、驚かしてやろうと袋のなかに蛇を模した作り物を入れ、「この身のようにいつまでも変わらない心をもつ私は、あなたのそばにつき従いましょう」という歌をつけてよこします。突然蛇が出てきたのですから、さすがの姫君もやや動揺しますが、作り物だとわかると、女房たちの勧めに応じ、カタカナで「契りあらば」の歌を書いて返すのでした。

　王朝貴族の常識にとらわれることのない虫めづる姫君は、王朝文化を問い直す存在だともいえるでしょう。

（竹内正彦）

43

桃の花光をそふるさかづきは
めぐる流れにまかせてぞ見る

桃の花が咲き、光を添える杯は、
曲水《ごくすい》をめぐる流れにまかせて見ることよ。

大江匡房《おおえのまさふさ》

（『江帥集《ごうのそちしゅう》』四四）

曲水宴（コラムｐ103）を詠んだ和歌です。桃の花、春の光が降り注ぐ明るい風景の中、曲水を酒杯がめぐってゆく様子が詠まれています。曲水行事の形態からして、「さかづき」と「めぐる流れ」が詠まれるのは当然でしょう。曲水宴の漢詩にも「流杯（盃）」はよく登場しています。

匡房は、寛治《かんじ》五年（一〇九一）三月一六日、藤原師通《もろみち》主催の曲水宴に参加し、詩題・式次第を作成しています。『今鏡』「波の上の杯」は、寛弘《かんこう》四年（一〇〇七）三月三日道長が開催した先例に倣《なら》って行われたと記しています。年中行事を受け継ぐということは、その時代の繁栄を受け継ぐという願いをも意味していました。

作者の大江匡房は、大江匡衡《まさひら》と赤染衛門《あかぞめえもん》夫妻の曾孫で、当代随一の漢学者となった人物です。『江家集『江帥集』のほか、『続本朝往生伝《ほんちょうおうじょう》』『江家次第《ごうけしだい》』など、多数の著書があります。

（谷　知子）

曲水宴《ごくすいのえん》

　三月三日は、現代では雛《ひな》祭りと呼ばれ、女の子の幸福を祈るお祭りとされています。元来は水辺で身体の穢《けが》れを祓《はら》い清める行事でした。その後、水辺で宴を行い、詩を賦《ふ》すようになり、さらに趣向をこらした曲水宴が誕生したのです。曲水宴とは、川の流水に酒杯を浮かべて、詩歌を詠み、酒を飲む儀礼で、現在でも日本各地で行われています。

　神泉苑《しんせんえん》や宮中のほか、有力貴族も自邸で開催しました。行事の様子を簡単に説明すると、庭を流れる川のほとりに椅子・硯台《すずりだい》等を置き、貴族や詩人の座を設置します。その後、羽觴《うしょう》（鳥の頭・翼・尾の装飾を施した酒杯）が流され、酒宴・詩作を行い、翌朝水辺で詩を清書し、披講《ひこう》します。

　和歌においては、『萬葉集』（巻一九・四一五一～四一五三）に三月三日大伴家持（コラムp28）の館で開かれた宴の和歌三首が古い例です。平安時代以降も、「三月三日紀師匠《きのししょう》曲水宴和歌」や『六百番歌合』の歌題「三月三日」等に詠まれています。

（谷　知子）

年中行事

　年中行事とは、特定された時期に周期的に行なわれる行事です。非日常的なハレの日で、元来物忌《ものい》みをして籠《こも》るという意味があり、休日とされるのは、穢《けが》れを断つべき日だったからです。宮廷と民間との両方があり、平安時代には『貞観《じょうがん》儀式』『延喜《えんぎ》式』などの儀式書が作成されました。

　年中行事の中核をなすのは、節日です。奈良時代の『養老雑令《ようろうぞうりょう》』諸節日条に規定がなされた七節日に九月九日を加えた次の八節日が日本では主流となっていきます。奇数の重なりとなっているのは、古来奇数は尊い数とされたからです。

　元日《がんにち》（正月一日）白馬《あおうま》（正月七日）踏歌《とうか》（正月一六日）上巳《じょうし》（三月三日）端午《たんご》（五月五日）相撲《すまい》（七月七日、のち七月下旬）重陽《ちょうよう》（九月九日）豊明《とよのあかり》（一一月新嘗祭《しんじょうさい》翌日）

　年中行事は、屏風《びょうぶ》や障子《しょうじ》に描かれたり、和歌の歌題にもなりました。おおがかりな和歌行事として、南北朝時代に二条良基《よしもと》が催した『年中行事歌合』は有名で、宮廷の年中行事や儀式の故実などを歌題として、二三名の歌人が参加しました。

（谷　知子）

中世——平安時代末期（院政期）・鎌倉・南北朝・室町・安土桃山時代

44

瀬をはやみ岩にせかるる滝川の われても末《すゑ》に逢はむとぞ思ふ

瀬が速いので、岩にせきとめられる滝川の水が真っ二つに分かれても、いつかまた合流するように、恋しい人と別れてもまたいつかは逢おうと思う。

（『詞花《しか》和歌集』恋上・二二九）

崇徳院《すとくいん》

「中世」の巻頭は、崇徳院です。崇徳院が引き起こした保元の乱以降を、本書では中世の始発としています。

「瀬をはやみ岩にせかるる滝川の」が序詞、「～を～み」で「～が～なので」の意味となります。「滝川」は、滝のように激しく流れる川。「われても」は、川の水の流れが岩にあたって分かれるという意味と、恋人が別れるという意味を掛けています。ほとばしる急流が岩にあたって、いったんは左右に分かれるけれども、また合流するように、あなたと別れてもまたいつか逢いたいと願った恋歌です。崇徳院自身が企画した『久安百首《きゅうあんひゃくしゅ》』の題詠の一首です。

保元《ほうげん》の乱以前に詠まれた歌ですが、讃岐《さぬき》国（香川県）に流されたまま都には帰れなかった院の人生を考えると、まるで元に戻りたい、都に帰りたいと願う執念の歌にも思えてくるから不思議。

（谷　知子）

保元《ほうげん》の乱と武者《むさ》の世

保元元年（一一五六）七月、平安遷都以来都の内で初めての内乱保元の乱が起きました。皇室・貴族・武家それぞれの身内の対立が原因となり、崇徳院《すとくいん》方には藤原頼長《よりなが》・源為義《ためよし》・平忠正《ただまさ》ら、後白河《ごしらかわ》天皇方には藤原忠通《ただみち》・源義朝《よしとも》・平清盛《きよもり》らがつき、争います。しかし、あっけなく後白河天皇方の勝利が決まり、崇徳院は讃岐国に流罪となり、院方についた者達は流罪や死罪に処せられました。慈円《じえん》は、保元の乱の後、「武者《むさ》の世」、つまり武士が政治上に勢力を築く時代になったと『愚管《ぐかん》抄《しょう》』巻四に記しています。この後、平治の乱、源平の合戦と続き、武士の力なくして権力を維持することが難しい時代を迎えます。

讃岐国に流された崇徳院は、配所で無念のまま崩御します。その後自然災害や戦乱が続いたため、崇徳院の怨霊《おんりょう》と恐れられ、後白河院をはじめ朝廷は、様々な慰霊《いれい》を試みました。戦争には敗者がつきものですから、怨霊化を恐れ、慰撫《いぶ》しなければならない時代が到来したのです。

（谷　知子）

百人一首の事業化、商品化

古典文学は古来様々な商品や事業のモチーフとなってきました。中でも『百人一首』は、現代社会において、豊かな広がりを見せています。

例えば、近年のドラマや漫画でいえば、『百人一首』の和歌をモチーフにした『超訳百人一首　うた恋い。』（杉田圭・KADOKAWA）、かるたクイーンを目指す少女を主人公にした『ちはやふる』（末次由紀・講談社）は大人気で、後者は広瀬すずさん主演で映画化もされました。

フェリス女学院大学では、近年『百人一首』の食品化に取り組んでいます。最中《もなか》「浜恋路《はまこひたび》」（横浜元町・香炉庵）、お茶「かがりびとしらなみ」（シンガポール・プロビドール社）、横浜市の学校給食、筑波山の老舗旅館江戸屋のデザート「筑波嶺《つくばね》プリン」など、『百人一首』をモチーフにした食品を学生たちがデザインし、提供、販売されています。方法としては、主に見立て（コラムp62）の手法を用い、白い生クリームを雪に、型抜きした人参を紅葉に見立てるなどして、古典和歌を現代の食品へと再生しています。

（谷　知子）

45

夕されば野辺の秋風身にしみて　鶉《うづら》鳴くなり深草《ふかくさ》の里

夕方になると、野辺に吹く秋風が身にしみて、鶉が鳴く声が聞こえる。この深草の里で。

藤原俊成《ふじわらのしゅんぜい》

（『千載《せんざい》和歌集』秋上・二五九）

「鶉」は、狩りの対象とされたキジ科の鳥です。「深草の里」は山城国の歌枕で、現在の京都市伏見区にその名を残す土地があります。

夕暮れの野辺に秋風が吹き、鶉の鳴き声（泣き声）が聞こえてくる、何とも寂しい風景です。

しかし、この歌にはしかけ、からくりがあります。『伊勢物語』一二三段を引いてみましょう。

むかし、男ありけり。深草にすみける女を、やうやう飽きかたにや思ひけむ、かかる歌をよみけり。

年を経て住みこし里を出《い》でていなばいとど深草野とやなりなむ

（年月を経て共に住んできた里を私が出て行ったならば、ますます草深い野となるのでしょうか）

女、返し、

野とならば鶉となりてなきをらんかりにだにやは君は来《こ》ざらむ

（ここが野となったならば、鶉になって鳴いていましょう。あなたが仮にでも狩りに

来て来れるかもしれないから）
とよめりけるに、めでて、ゆかむと思ふ心なくなりにけり。　（『伊勢物語』一二三段）

男が深草の里で一緒に暮らしていた女に飽きて、別れを暗示する歌を詠みかけます。すると女は、もしあなたが出ていったら、私は鶉に変身して、あなたが狩りにでも来てくれるのを待つわと、歌を返したのです。男は心を打たれ、出て行くのをやめます。ハッピーエンドの恋物語です。

ここで俊成の歌に再び目を転じてください。深草の野辺で物哀しい鳴き声を上げている鶉が、ただの鶉でないことに気づきます。そう、『伊勢物語』一二三段の女の「その後の姿」なのです。あの後、男はやはり出て行ってしまい、取り残された女が鶉に化身してしまったという、悲しい後日談にリメイクしたのです。これが、本歌取り（コラムｐ110）です。

古歌《こか》や古典の世界を悲劇的な結末にリメイクする方法は、俊成・定家親子が好んだ手法です。時代が下って、世阿弥《ぜあみ》が制作した夢幻能《むげんのう》にもその手法が見られます。例えば、夢幻能の最高傑作とされる「井筒《いづつ》」は、『伊勢物語』二三段（幼馴染の男女のハッピーエンドの恋物語）を、中世の『伊勢物語』古注の影響を強く受けながら、男を待ち続ける女を核とした劇へと変貌させています。俊成も世阿弥も「人待つ女」を化身《けしん》として登場させたわけです。これは偶然の一致でしょうか。俊成も世阿弥も「幽玄」（コラムｐ110）の美を自らの芸術領域において表現しようとした人物です。幽玄とは何かを考えるときに、ハッピーエンドの先にある世界への関心、化身となって生き続ける女の造型という営為は、大きな鍵を握っています。永遠の世界への希求、死後の世界の幻視という願望という、中世的な志向と深く関わっていると考えているのですが、いかがでしょうか。

（谷　知子）

本《ほん》歌《か》取り

本歌取りとは、有名な古歌を誰もがわかるように取りこんで、新しい和歌を創造する方法です。いわば、リメイクです。藤原俊成・定家が自覚的に確立した方法で、定家の規定をまとめると、①本歌から取ることばの分量は、本歌と位置を変えない場合は二句未満、変える場合は二句と三・四字まで、②初二句は本歌のまま置いてもよいが、著名な歌句は避けるべき、③本歌から主題を変えて詠むこと、④本歌とする範囲は、三代集・『伊勢物語』・三十六人集とし、殊に上手の歌の範囲を超えない、特に近現代歌人の歌を取ってはならない、となります。

高等学校新学習指導要領「国語」には、共通必履修科目として「言語文化」が設けられ、創造的な「書くこと」が重視されています。具体的な指導例として、「本歌取りや折句《おりく》（コラムp65）などを用いて、感じたことや発見したことを短歌や俳句で表したり」という方法が推奨されています。実際に創作してみる体験ほど、深くこの修辞を理解できる方法はないでしょう。ぜひ体験してみてください。

（谷　知子）

幽《ゆう》玄《げん》・艶《えん》

幽玄・艶は、俊成が確立した美的理念です。幽玄は、元々中国の仏典用語で、簡単には知りがたいほど深い教えという意味でした。俊成はこの用語を和歌に取りこんだのです。定義は簡単ではありませんが、明瞭よりは曖昧、単純よりは複雑、饒舌よりは寡黙、明暗でいえば薄暗さ、これが幽玄の美です。未知の部分を多く残し、豊かな想像力にゆだねます。例えば、能舞台を考えてみてください。リアルな舞台設定はなく、演者は面をかぶっています。ぎりぎりまで抑制された表現から、観客は山道や海辺を思い描き、能面から喜怒哀楽を読み取っていくのです。なんと高度な精神文化でしょう。

艶は、もともとは色彩の鮮やかさを意味していましたが、しだいに人間の心を浄化し、深く掘り下げるような美を表すようになります。ただ、その美的世界の中核には、失われた王朝文化への憧れがあります。

幽玄・艶はいずれも、対象との距離感が重要な要素です。時間的、空間的、心理的、様々な距離感がキーワードです。この距離感がもたらす、心の活発な動き、これが幽玄・艶の本質なのです。

（谷　知子）

西行《さいぎょう》

西行は、元永元年（一一一八）に生まれました。俗名は佐藤義清《のりきよ》。名門の出で、鳥羽院下北面《げほくめん》の武士として出仕していましたが、出家への憧れを断ちがたく、二三歳の年に出家します。鞍馬《くらま》・嵯峨《さが》をはじめ、各所で草庵を結びつつ、和歌を詠み、旅をしました。東北には二度、中四国にも訪れたことが知られています。

高野山を拠点として三〇年間を過ごしますが、晩年は伊勢に移住し、最期は河内国弘川《ひろかわ》寺で迎えます。「願はくは花の下《した》にて春死なむその如月《きさらぎ》の望月のころ」（『山家《さんか》集』・七七）という生前の願いどおり、釈迦の入滅の翌日二月一六日に、愛した桜と月の下で往生をとげ、同時代の人々を感動させました。

『新古今和歌集』入集歌一位の歌人で、当代の評価が高かったことはもちろんですが、死後も西行説話が数多く作られ、伝説の歌人としての成長を遂げてゆくことになります。松尾芭蕉が西行を讃仰していたことは中でも有名です。

（谷　知子）

東海道の旅

古代以来、国内の主要道路は、東海道・北陸道・東山道・山陽道・南海道・西海道でした。当時一日に進む距離はおおよそ三二キロから四〇キロ。東海道（京都鎌倉間の片道）であれば、成人の足でほぼ二週間の旅が標準でした。

『伊勢物語』九段「東下り」では、在原業平をモデルとする一行が東海道を下る旅が描かれており、歌枕の形成など、後代に大きな影響を与えました。鎌倉幕府が開かれてからは、東海道の旅が盛んになりますが、「東下り」に登場する土地（八橋《やつはし》・宇津《うつ》の山・富士山・隅田川）は関心の的で、和歌にも盛んに詠まれました。その後、能因、西行、宗祇《そうぎ》、芭蕉といった数奇人のほか、源頼朝、阿仏尼《あぶつに》なども実際に東海道を往来し、和歌を詠み残しています。また、紀行文と呼ばれる旅日記も東海道を舞台にしたものが数多く記されました。『海道記』『東関紀行』は作者不明ですが、鎌倉時代の東海道の旅を美麗な文章で書き付けていて、貴重です。行く先々の風景や歴史にふれ、心をうたれるたびに和歌を詠んでいて、和歌はこうして生まれるのだということを私たちに教えてくれます。

（谷　知子）

46

年たけてまた越ゆべしと思ひきや命なりけり小夜《さや》の中山

西行《さいぎょう》

年老いて再び越えるだろうと、あの日想像しただろうか。まさに「命」なのだなあ。小夜の中山よ。

(『新古今和歌集』羇旅《きりょ》・九八七)

西行は、東海道の旅を少なくとも二度行っています。最初の旅は、三〇歳くらいで、二度目は六九歳のことでした。二度目の旅のとき、西行は、約四〇年の歳月を経て再び小夜の中山を通過します。「小夜の中山」は、静岡県掛川《かけがわ》市に位置する峠で、東海道屈指の難所とされています。「思ひきや」の「き」は過去の助動詞、「や」は反語の係助詞です。四〇年前ここを通過するとき、再び訪れるだろうとは思わなかったと回想しているのです。

第三句に「命なりけり」ということばが用いられています。この表現は、『古今和歌集』に先例があります。

春ごとに花の盛りはありなめどあひ見むことは命なりけり

(春ごとに花の盛りはあるのだろうが、それに出会うのは命あってのことだなあ)

(『古今和歌集』春下・九七・読み人しらず)

おそらく西行は、この古今歌の表現を用いたのでしょう。この歌にはさらに次の漢詩の典拠があります。

年々歳々《ねんねんせいせい》花《はな》相《あひ》似《に》たり　歳々年々人同じからず

（『和漢朗詠集』無常・七九一・宗之問《そうしもん》）

（毎年花は同じように咲くけれども、人は同じではない。昨年は生きていた人が今年はこの世にいなかったりするのだ）

さて、西行の和歌に戻りましょう。西行の和歌に言う「命」とは何でしょうか。西行は小夜の中山で何を見たのでしょうか。約四〇年ぶりに訪れた小夜の中山で目にした風景が、四〇年という歳月、現在生きているという「命」そのものだったのではないでしょうか。

西行はこの後、東北の平泉に向かいます。目的は、平氏によって焼かれた東大寺大仏再建のための砂金勧進でした。途中の鎌倉鶴岡八幡宮で源頼朝（51番）と会見し、贈られた銀製の猫を門の外で遊ぶ子どもにあげてしまったという逸話が有名です。

鎌倉時代につくられた日本刀に、小夜左文字《さよさもんじ》（重要文化財）があります。初代左文字こと左文字源慶の作による短刀で、掛川城主山内一《やまのうちかず》豊《とよ》から細川幽斎《ゆうさい》（安土桃山時代の武将、歌人）に譲られたとされています。小夜左文字の名称は、幽斎が西行の「年たけて」の和歌から取ったとされているようです。近年、名刀を擬人化した「刀剣男士」を育成する『刀剣乱舞《とうけんらんぶ》―ONLINE―』というオンラインゲームが大人気で、キャラクター化した名刀が登場します。その中にこの小夜左文字も入っていて、若い世代にこの和歌もよく知られているようです。西行の和歌が現代社会でこのようなかたちで受け入れられていると思うと、不思議な気がしますね。

（谷　知子）

47

萩《はぎ》が花ま袖にかけて高円《たかまど》の尾上《をのへ》の宮《みや》に領巾《ひれ》振《ふ》るやたれ

顕昭《けんしょう》

萩の花を両袖に散らしかけて、高円の尾上の宮で
領巾を振っているのは誰だろう。

（『新古今和歌集』秋上・三三一）

この歌には本歌《ほんか》があります。

宮人《みやびと》の袖付け衣《ごろも》秋萩に匂ひよろしき高円の宮

（『萬葉集』巻二〇・四三一五・大伴家持《おおとものやかもち》）

（女官たちが着ている袖付きの衣に秋萩の花の色が映えて美しい高円の宮ですよ）

「高円」は、大和国（奈良県）の歌枕で、現在の奈良市白毫寺《びゃくごうじ》町東方の山、聖武《しょうむ》天皇の離宮があった地です。

「領巾」は、古代の女性が肩にかけて左右に垂らす細長い白色の布のこと。これを振る行為は、愛情表現とされました。

『萬葉集』に精通していた顕昭らしい歌です。博識で学者タイプの歌人でした。この歌も、古風で落ち着いた歌です。新古今歌人の前衛的な歌はもちろん魅力的ですが、この歌のように、けれんみがなく、物静かな歌もいいものです。

（谷　知子）

御子左家《みこひだりけ》と六条藤家《とうけ》

御子左は、醍醐天皇の「御子《みこ》」兼明親王《かねあきらしんのう》が源氏に臣籍降下して「左」大臣になったための呼び名で、藤原長家《ながいえ》がその旧邸（三条坊門南大宮東）に住んだことから、長家の家系を御子左家と称しました。四代俊成・五代定家の時代に歌壇の大御所として活躍したことが画期となって、以後子孫は和歌宗匠《そうしょう》家として君臨します。為家の子の代になって、二条・京極《きょうごく》・冷泉の三家に分立しますが、二条家は御子左の名を保ち続けたようです。

六条藤家《とうけ》は、平安時代後期、藤原顕季《あきすえ》を祖とする歌道家です。顕季の邸が六条東洞院《ひがしのとういん》にあったことからこの名がつきました。顕季は白河院歌壇の指導者として活躍し、人麿画像供養と歌会を合体させた人麿影供《ひとまろえいぐ》を創始します。以後、人麿画像の相伝が嫡流《ちゃくりゅう》の証となりました。子の顕輔《あきすけ》は『詞花《しか》和歌集』を崇徳院《すとくいん》に撰進しています。顕輔の子清輔《きよすけ》の『袋草紙《ふくろのそうし》』など、主に歌学の分野で大きな業績を残しました。（谷　知子）

歌学

歌学とは、和歌に関する知識や学問のことです。歌体・歌語・修辞・精神論・和歌評論・歌会《うたかい》などの儀式作法・歌人伝記・和歌や作者などに関する伝承・歌書など、その対象は極めて広く、仮名遣いなど国語学的な領域も包括されます。

平安時代、六条藤家の藤原清輔が『奥義抄《おうぎしょう》』『袋草《ふくろのそう》紙《し》』『和歌初学抄』『和歌一字抄』といった歌学書を著し、『奥義抄』は歌体・歌病・和歌に関する様々な知識から歌の注釈・問答、『袋草紙』は和歌会故実・和歌集故実・雑談・歌合故実・古今歌合難・故人和歌難という構成で、和歌に関する幅広い知見が展開されています。鎌倉時代には、順徳天皇が『八雲御抄《やくもみしょう》』全六巻という大著を制作しています。

歌論は、知識が主体となった歌学とは異なり、和歌を理論的に探究するものです。藤原俊成の『古来風躰《こらいふうてい》抄《しょう》』、その子定家の『近代秀歌』『詠歌大概《えいがたいがい》』は本格的な歌論の嚆矢といえるでしょう。秀歌とは何か、自覚的な作歌論を展開していて、現代においても新しい読み物です。（谷　知子）

難波江《なにはえ》の蘆《あし》のかりねのひとよゆゑ
みをつくしてや恋《こ》ひわたるべき

皇嘉門院別当《こうかもんいんのべっとう》

難波江に群生している蘆の刈り根の一節のように、たった一晩かりそめの共寝をしたせいで、あの澪標のように、命をかけて恋し続けなくてはいけないのだろうか。

（『千載和歌集』恋三・八〇六）

「旅宿《りょしゅく》に逢ふ恋（旅先で出逢った人との行きずりの恋）」という題詠です。「難波江（大阪湾の入り江一帯）」は、江口《えぐち》・神崎《かんざき》という遊女の宿を想起させる地名なので、遊女の恋かもしれません。いずれにしても、一夜限りの関係で、もう二度と逢うこともないのに、深く愛してしまったという、せつない恋です。

　この歌には、序詞・掛詞・縁語が用いられています。「難波江の蘆の」は「かりね」を導く序詞。「刈《か》り根《ね》」と「仮《か》り寝《ね》（かりそめの共寝）」、「一節《ひとよ》」と「一夜《ひとよ》」、「澪標《みをつくし》（海の標識として立てた杭《くい》）」と「身《み》を尽《つ》くし（命がけである）」、継続の意味の「わたる」と「（海を）渡る」が掛詞。さらに「蘆」「刈り根」「節」と、「難波江」「澪標」「渡る」がそれぞれ縁語。難波江という海の風景と恋心が、序詞・掛詞・縁語によって、重層的にからみあった恋の名歌です。

（谷　知子）

題詠《だいえい》

題詠とは、現実の体験ではなく、与えられた歌題によって歌を詠むことです。ですから、男が女の立場に立って恋歌を詠んだり、京都を一歩も出たことのない人が富士山の歌を詠むこともできます。平安時代以降、屏風歌・歌合《うたあわせ》・歌会《うたかい》・百首歌などの流行によって、盛んに詠まれるようになりました。院政期に成立した『堀河百首』は、題詠史上の金字塔的催しです。この百種の題は、後代に大きな影響を及ぼしました。和歌を学ぶ人は、『堀河百首』の題を詠むことを習錬の一つとしていたくらいです。『堀河百首』の季節題は細分化して季語となり、「季寄《きよせ》」や「歳時記」が生み出されていきました。日本における季節感を決定づけた題詠作品と言えるでしょう。

歌題には、一つの概念による素題《そだい》、二つ以上の概念が結合して出来た結題《むすびだい》などがあります。時代が下ると長い文字数の難題も出されるようになります。また、歌会が開かれる前に出題される兼題《けんだい》（兼日題）、当日歌会の場で出題される当座題《とうざだい》（即題）がありました。歌人にとって、歌題を詠みこなすことは重要な課題でした。

（谷　知子）

縁語《えんご》

縁語は、ことばの連関、連想です。二重の意味を持つことば（多くは掛詞）を基点にして、二つの文脈（多くは心と物）を並行させる手法です。縁語は「物」の文脈にのみ属し、一首の主旨と関わりません。例えば、

滝の音は絶えて久しくなりぬれど名こそ流れてなほ聞こえけれ　（『百人一首』五五・藤原公任《きんとう》）

（滝の水音は、絶えてから長い年月がたったけれども、その名声は今も世間に流れ、聞こえてくることよ。）

は、「滝」と「鳴り」「流れ」「聞こえ」が縁語です。「なり」は「鳴り」と「成り」の掛詞で、「久しく成り」がこの歌の主旨です。すると「鳴り」はいったい何でしょう。この歌の舞台大覚寺《だいかくじ》（現在の京都府右京区嵯峨大沢町）滝殿はこの時代水は流れていませんが、その名声だけは世間に流れているというのが主旨です。ここで「滝」「鳴り」「流れて」「聞こえ」と縁語をつないで読んでみると、涸れてしまったはずの滝水の音が再現されていることに気づかされます。この歌において縁語はバックグラウンドミュージックの効果をもたらしているのです。

（谷　知子）

49

秋の夜のしづかに暗き窓の雨うち嘆かれて ひましらむらん

式子内親王《しょくしないしんのう》

秋の夜の静かで暗い窓を打つ雨に、ついつい嘆いてしまって、窓のすきまが明るくなり、夜が明けたようだ。

（『式子内親王集』一四五）

窓辺に寄りかかって、冷たく暗い雨を見ながら、悲しみにうちひしがれた秋の夜。そんな夜も、窓のすきまがほのかに明るくなり、朝が訪れます。永遠に明けないと思えた長くて悲しい夜でも、夜明けはくるのです。

式子内親王の歌にはモデルがいます。唐の時代、玄宗《げんそう》皇帝の宮中の美女たちは楊貴妃《ようきひ》にねたまれて、上陽宮《じょうようきゅう》に幽閉されて、年老いてしまったといいます。

秋の夜《よ》長し　夜《よ》長くして眠ること無ければ
天も明けず　耿々《かうかう》たる残んの灯壁に背《そむ》けたる
影　蕭々《せうせう》たる暗き雨窓を打つ声

（秋の夜は長い。夜が長く眠れないから、夜が明けない。かすかな残りの灯火が、影を背後の壁に映している。もの寂しい暗い雨が窓を打つ声が聞こえる）

（『和漢朗詠集《わかんろうえい》』秋夜・二三三・白楽天）

式子内親王はこの女性になりきって、自らの孤独な生涯を重ねて歌を詠んだのです。

（谷　知子）

式子内親王

式子内親王は、後白河天皇の皇女として生まれ、一一歳から二一歳までの約一一年間、賀茂斎院《かものさいいん》として神に仕えます。斎院を退下《たいげ》したのちも俗世とはあまり交わらない生活でした。それなのに、藤原定家と恋仲だったという伝説が古くからありました。その根拠は、式子の激しい恋歌にあったようです。

生きてよも明日まで人はつらからじこの夕暮をとはばとへかし（『新古今和歌集』恋四・一三二九）

（男の訪れを待つ苦しみのあまり死んでしまいそうです。明日死んだ私を見て可哀想に思ってくださるでしょう。それなら今夜逢いに来てほしい）

しかし、すべては空想だったと思わせる歌もあります。

頼むかなまだ見ぬ人を思ひ寝のほのかに馴るる宵の夢　（『式子内親王集』七五）

空想上の恋人を思いながら寝ると、夢の中で少しずつ恋人と仲良くなっていくというのです。式子の恋は空想の中で激しく燃え尽きたのではないかと思います。

（谷　知子）

斎院《さいいん》と賀茂祭

賀茂祭（葵祭）は、華やかな行列「路頭《ろとう》の儀」が有名ですが、実は六日間にわたって行われていました。

・神社固有の神事

中巳日　御阿礼《みあれ》所を囲む

中午日　御阿礼の儀

・天皇が関与する儀礼

中未日　警固の儀

中申日　斎院御禊《ごけい》・摂関賀茂詣・御阿礼

中酉日　近衛使《このえのつかい》出立《いでたち》の儀・宮中の儀・路頭の儀・社頭の儀

中戌日　解陣《げじん》の儀・還立《かえりだち》の儀・還饗《かえりあるじ》の儀

前半の神事は非公開ですが、後半の四日間は一般の人々もある程度見ることができるため、様々な古典文学の舞台となってきました。特に有名なのは、斎院御禊と路頭の儀でしょうか。

斎院は、神に仕える未婚の皇女が選ばれ、嵯峨天皇から土御門《つちみかど》天皇までの間、三五人が任ぜられました。伊勢の斎宮よりは自由であったようで、選子《せんし》内親王のように文化的なサロンを形成していた斎院もいました。

（谷　知子）

50

月をこそながめなれしか星の夜の
深きあはれを今宵知りぬる

月だけを眺め慣れてきたけれども、星の夜の
深い感動を今宵初めて知った。

建礼門院右《けんれいもんいんう》京《きょう》大夫《のだいぶ》

（『建礼門院右京大夫集』二五二）

高倉天皇中宮建礼門院徳子《とくし》（平清盛の娘）に仕えた女房に、建礼門院右京大夫という女性がいました。清盛の孫資盛《すけもり》の恋人でもありました。しかし、平家一門は没落し、最後は壇ノ浦（山口県）で入水《じゅすい》して果てます。資盛も帰らぬ人となりました。愛する人たちを失った右京大夫は、つらい思い出の詰まった京都を離れ、滋賀県の比叡坂本《ひえいさかもと》に旅立ちます。

旅先の夜、彼女は満天の星に遭遇します。右京大夫は、旅先で見た星空の美しさを次のように描写しています。

十二月一日ごろなりしやらん、夜に入りて雨とも雪ともなくうち散りて、むら雲騒がしく、ひとへに曇りはてぬものから、むらむら星うち消えしたり。ひきかづき臥《ふ》したる衣《きぬ》を、更《ふ》けぬるほど、丑二《うしふたつ》ばかりにやと思ふほどに、引き退《の》けて、空を見上げたれば、ことに晴れて浅葱色《あさぎいろ》なるに、光ことごとしき星の大《おほ》きなるが、むらなく出《い》でたる、なのめならずおもしろくて、花の紙に箔《はく》をうち散らしたるによ

う似たり。今宵初めて見そめたる心地す。先々も星月夜見なれたることなれど、これは折からにや、異《こと》なる心地するにつけても、ただ物のみおぼゆ。

（十二月一日頃だっただろうか、夜になって、雨とも雪ともなく散って、むら雲の往来があわただしく、すっかり曇りきってしまわないものの、まばらに星が見え隠れしていた。頭からかぶって寝ていた着物を、夜が更けた頃、午前二時半くらいかと思う頃に、取り払って、空を見上げると、格別によく晴れて、水色の夜空に、強い光を放つ星が一面に出ているのがとてもおもしろくて、縹《はなだ》色〈薄い藍色〉の紙に金箔、銀箔を散らしたのによく似ている。今宵初めて見始めた気がする。以前も星月夜を見てきたことなのに、これは旅先だからか、格別にすばらしい気持ちがするにつけても、ただひたすら物思いに誘いこまれていった。）

（『建礼門院右京大夫集』二五二）

旅先で見る満天の星空。書道の名門世尊寺《せそんじ》家の娘として幼い頃から見慣れていた、金箔、銀箔を散らした豪華な紙になぞらえながら、その美しさに感動し、深い物思いへと誘われていきます。

　旅は非日常です。「先々も星月夜見なれたることなれど、これは折からにや、異なる心地する」と言うように、見慣れた風景にも新鮮な発見があります。まさにこれが旅の力というものでしょう。この旅が、右京大夫の自己回復につながっていったことは間違いありません。

（谷　知子）

51

陸奥《みちのく》のいはでしのぶはえぞ知らぬ
書き尽くしてよ壺《つぼ》の石文《いしぶみ》

源《みなもとのよりとも》 頼朝

陸奥の岩手・信夫ではないが、言わないでがまんしているというのは、理解できません。書き尽くしてください、壺の碑《いしぶみ》ならぬ、文に。

(『新古今和歌集』雑下・一七八六)

建久六年(一一九五)三月~五月頃、東大寺供養に参列するために上京した源頼朝は、摂関家の出で高僧の慈円《じえん》(53番)と七七首もの歌を詠み交わしています。この歌はその中の一首で、慈円が「思うことをあなたに言い伝えることができない。私の気持ちを手紙に書き尽くすことなどできないから」と詠んだことに対する返歌です。まるで恋の贈答歌のようです。

頼朝は「岩手」(岩手県)「信夫《しのぶ》」(福島県福島市)「蝦夷《えぞ》」(津軽以北の地)「壺《つぼ》の碑《いしぶみ》」(青森県上北郡)と、東北地方の地名を四つも歌に詠みこんでいます。そういう意味ではやや俳諧歌《はいかいか》(こっけい味のある歌)的な歌ですが、陸奥を征服した東国の覇者《はしゃ》らしい一首です。

慈円が、このときの贈答歌七七首を家集『拾玉集《しゅうぎょくしゅう》』に収めています。全体的に恋歌的趣向をこらしつつ、たたみかけるように進んでいく連作歌群です。この中に、「いつはり(偽り)」ということばが四度用いられています。「いつはり」は、恋歌に用例が集中していることばです。

又あれ（頼朝）より

いつはりの言の葉しげき世にしあれば思ふと
いふもまことならめや

返しに（慈円の返歌）

いつはりにならひけるこそあやしけれたのむ
中にはよそに思ふに

（『拾玉集』五四六五・五四六七）

これ（慈円）より申さむとしつるにとて、
そへてつかはす

いつはりの君が宿にや吹かざらん身にしむ物
は明日をまつ風

（返し又たちかへり）副歌

いつはりは色にも見えず風吹かず心ぞしみて
人は恋しき　（同五四九七・五四九九）

頼朝は、世間の人の嘘や二枚舌、裏切りをいやというほど見てきた人物です。二人は恋人同士のように、相手のことばに「いつはり」があるかどうかを問いかけ合いながら、緊張感のある対話を繰り返します。

恋歌は、知りがたい相手の心中を推し量り、ときに試し、ときに確かめるものです。慈円の兄兼実《かねざね》が頼朝を当初「異人」と呼んだ（兼実の日記『玉葉《ぎょくよう》』）ように、慈円と頼朝も、恋人同士のような、知りたいけれども、知りがたい関係でした。「いつはり」「まこと」といったことばを贈りながら、裏切りや疎遠を牽制しつつ、異質な人間との交流を、慈円が得意とする和歌という手段ではかろうとしたのでしょう。頼朝も懸命に慈円の投げかける和歌に応じています。東国と京都とのパイプを和歌でつなごうとする東西の権力者二人の姿が浮かび上がってくるような贈答歌です。

このように、源頼朝は和歌を詠みました。しかし、同じ武士でありながら、平清盛は和歌を詠んだ確たる証《あかし》がありません。この違いはとても大きいと思うのですが、貴族文化への向き合い方の差異と考えておきます。

（谷　知子）

源頼朝

源《みなもとの》頼《より》朝《とも》

源頼朝は、平治《へいじ》の乱で伊豆に配流されますが、約二〇年後挙兵して平氏を倒し、鎌倉に幕府を開きます。頼朝は和歌を詠むことに熱心で、『新古今和歌集』以下の勅撰和歌集に一〇首入集しています。『新古今和歌集』に入集した歌を紹介しましょう。東海道の旅の途中に詠まれた一首です。

　道すがら富士の煙も分かざりき晴るるまもなき空のけしきに

（『新古今和歌集』羇旅《きりょ》・九七五・源頼朝）

雲がかかって富士山の煙がはっきり見分けられなかったということを述べた、実に率直な歌です。頼朝は富士山の煙が見たかった、和歌に詠んでみたかったのだと思います。目をこらして山頂を見つめる頼朝の姿を想像すると、なんとも微笑ましいですね。なぜ見たかったのかというと、その背景には歌枕《うたまくら》、あるいは東海道の羇旅の歌の知識と関心が推測されます。この歌には歌を詠む行為への憧れのようなものが感じられます。それは、頼朝の内なる王朝文化や京都への敬意と言ってもいいでしょう。

（谷　知子）

鎌倉と和歌

源頼朝の子実朝《さねとも》は、将軍邸で御家人《ごけにん》を集めて歌会を催し、鎌倉歌壇を形成しました。実朝は生来の才能に加えて、藤原定家（56番）に指導を受け、優れた歌人に成長します。北条氏や御家人にも和歌を好む人が増え、勅撰歌人を生む土壌が整います。その後、後嵯峨院皇子宗尊親王《むねたかしんのう》が将軍として京都から鎌倉に下向し、歌人真観《しんかん》を都から呼び寄せて、鎌倉歌壇の最盛期を迎えます。歌会や歌合が盛んに催され、北条・二階堂《にかいどう》・安達《あだち》などの武家も多数参加しました。しかし、謀反《むほん》の嫌疑をかけられ将軍職を解任、京都に送還されてしまいます。

実朝や宗尊親王が蒔《ま》いた和歌の種は、その後も絶えることはありませんでした。定家の孫冷泉為相《れいぜいためすけ》が、母阿仏尼《あぶつに》から地盤を受け継ぐかたちで、正応（一二八八）頃から主に関東に居住し、歌道師範として鎌倉武士の歌作の指導を行っています。鎌倉歌壇の詠を集めた『拾遺《しゅうい》風体《ふうてい》和歌集』や『柳風《りゅうふう》和歌抄』は彼の撰と言われています。

（谷　知子）

52

しづやしづしづのをだまき繰り返し
昔を今になすよしもがな

静よ静と繰り返し私の名を呼んでくださったあなた。
あの時代をもう一度今に取り戻したい。

静御前《しずかごぜん》

（『義経記《ぎけいき》』九）

静御前は、元々京都で活躍していた白拍子《しらびょうし》だったと言われています。白拍子とは、平安末期から鎌倉時代にかけて流行した今様《いまよう》を歌い舞う男装の女性のことです。彼女は、その後源義《よし》経《つね》の愛人となり、様々な伝承が生み出されます。

この歌もその伝承の一つです。兄源頼朝と不和となった義経とともに逃避行の旅に出ますが、吉野で別れた後、捕らえられて鎌倉に送られます。鶴岡八幡宮に召喚され、頼朝夫妻の前で義経への恋心を告白した歌と言われています。「しづ」は静の名前であると同時に、コウゾや麻などの糸を青・赤などに染めて、乱れ模様に織ったものを意味し、「をだまき」は糸巻きです。「古《いにしへ》のしづのをだまき繰り返し昔を今になすよしもがな」（『伊勢物語』三二段）をふまえ、「繰り返し」を導く序詞となっています。このときに静が舞ったといわれる舞台が、現在の鶴岡八幡宮舞殿《まいどの》（若宮回廊）と伝えられています。

（谷　知子）

静御前

53

水の面《おも》に飛びかふ春のつばくらめ
巣立てんことも思ひやられて

慈円《じえん》

水面すれすれを飛び交う早春の燕を見ると、
雛を育てて巣立たせるというずいぶん先のことまでも想像されて。

（『拾玉集』一一三二）

「巣立てん」が解釈のポイントで、「巣立たん」ではありません（「ん」は推量の助動詞「む」）。未然形が「スダタ」となる四段活用の自動詞「巣立つ」は現代でも使いますが、歌中で使われているのはそれに対応する、下二段活用の他動詞「巣立つ」（現代語風にすればスダテル）です。大きい辞書にしか載っていない語ですが、実は辞書なしでも意味の推定は可能。四段と下二段の組み合わせは、「巣立つ」のほかにも存在するからです。例えば、

並ぶ（四段）「人が並ばむ」
並ぶ（下二段）「石を並べむ」＝ナラベル

のようなセットは現代語にもあって、他動詞（下二段）の方は「並ばせる」という使役表現とかなり近い意味になります。

現代語には残っていなくて、古典によく出てくるものとして

頼《たの》む（四段）
頼む（下二段）＝頼ミニ思ワセル

があります。本書39番をご覧ください。他に

「被《かづ》く」「靡《なび》く」「勇《いさ》む」なども同様に下二段が存在するものです。古語辞典にはそれぞれに様々な訳語が載っていますが、右の考え方さえ知っていれば暗記は不要です。

現代日常語の「生け花」「生け捕り」、お寿司屋さんの「活《いけ》ダコ」も「命を保たせる」という意味だし、「手なずける」という語の「なずける」は下二段の「懐《なつ》く」の連体形「なつくる」が、「なつける」となり、さらに濁音化して「なづける」となったもの。形は変わっても、「懐かせる」という使役的意味は残っていますね。

このようないくつもの類例によって、下二段「すだつ」の意味は支えられています。

燕は春に日本にやってきて、二回くらい子育てをして秋には温かい地方に移動します。人家の軒下などに営巣するため、住人は雛の誕生から、餌《え》乞《ご》い、飛翔訓練など成長の一部始終を見て、巣立ちを喜び、そして残された巣を毎日寂しく眺めながら半年後の再会を楽しみに待つのです。春になって、川や田んぼの近くで燕を見かけると、うちの子もそろそろか、と期待しつつ、一連の過程を思い出します。「巣立てん」の主語は親鳥です。泥を運んで巣を作り、日の出から日の入りまで無数に往復して子に餌を与え、カラスと戦い、子供たちを「巣立たせる」のです。「巣立たんこと」なら一瞬ですが、「巣立てんこと」は数か月に渡る必死の営為なのです。

慈円（一一五五〜一二二五）は天台宗の僧、歌人。九条兼実《くじょうかねざね》の実弟で政治にも強い関心を持ち、『愚管抄《ぐかんしょう》』の著者としても知られています。この歌は一一九〇年、藤原定家の立案（コラムp117「題詠」）に慈円が応じたもので、跋文《ばつぶん》によれば二時間で百首を詠んだといいます。一〇歳までに両親を亡くし、その後出家した慈円ですが、燕の親鳥をどのような気持ちで眺めたでしょうか。

（勝田耕起）

54

石川や瀬見《せみ》の小川の清ければ
月も流れを尋ねてぞすむ

鴨長明《かものちょうめい》

石川の瀬見の小川が清いので、月もその流れを探し求めて映り澄んでいる。そのように、賀茂の御神もこの川のほとりに鎮座しておられる。

（『新古今和歌集』神祇《じんぎ》・一八九四）

源光行《みつゆき》が勧進《かんじん》した『賀茂社歌合《かものやしろのうたあわせ》』で詠まれた和歌です。問題は、「瀬見の小川」ということばです。鴨長明の『無名抄《むみょうしょう》』（歌論書）に詳しい記述があるので、紹介しましょう。

この歌合の判者《はんじゃ》源師光《もろみつ》が、長明の和歌に対して、このような川はあるのかと不審がり、長明の和歌を負けにします。しかし、師光の判には問題が多いとして顕昭《けんしょう》が再度判をし直したところ、顕昭もまたこの川のことを知りませんでした。しかし、歌の姿が良かったので、引き分けにしています。

その後、長明が顕昭に会って、「これは、賀茂川の異名です。当社の縁起に書いてあります」と教えます。顕昭は納得し、「非難しなくてよかった、私が知らない名所などないと思ってあやうく負けにするところでしたが、保留としたのは年の功でした」などと言っていたということでした。

その後、禰宜祐兼《ねぎすけかね》に「このようなことばは、価値の高い晴の歌会で詠むべきなのに、このような内々の小さな会で詠んだのは無念だ」と残念がられます。長明が詠み出したことばを盗用されてしまうことを心配したのです。案の定、その後、『六百番歌合』で顕昭が、『千五百番歌合』では藤原隆信《たかのぶ》が詠み、祐兼は「それ見たことか。あなたが最初に詠みだしたのに、後世ではどれが先だったかわからなくなり、紛れてしまうではありませんか」と嘆いてます。今で言えば、著作権や特許といった、知的財産権にあたる発想ですね。

　しかし、『新古今和歌集』には、長明の「瀬見の小川」の歌が撰ばれたのです。長明は「いと人も知らぬことなるを、とり申す人などの侍りけるにや。（略）生死の余執ともなるばかりうれしく侍るなり（「瀬見の小川」を最初に詠んだのが私だということは、特に他の人は知らないことなのに、取りたてて申し上げた人がいたのでしょうか。（略）死後になお残る執着ともなるほどうれしく存じます）」と大喜びしています。『新古今和歌集』撰者たちの情報の正確さと見識を伝える逸話でしょう。

　それにしても、顕昭は歌学書『袖中抄《しゅうちゅうしょう》』に「瀬見の小川」の項目をたてて解説していますが、長明の歌には全く触れておらず、『千五百番歌合』の藤原隆信の歌の判詞ではなんと『六百番歌合』で自分が詠んだ瀬見の小川の歌を引いています。ルール違反と言うべきか、それともしたたかと言うべきでしょうか。（谷　知子）

鴨長明《かものちょうめい》

鴨長明は、賀茂御祖《かものみおや》神社（下鴨神社）禰宜《ねぎ》長継《ながつぐ》の子として生まれましたが、一〇代後半に父と死別し、以後不遇意識を抱くようになります。正治《しょうじ》二年（一二〇〇）、歌才が認められて後鳥羽院歌壇に参加、和歌所《わかどころ》寄人《よりうど》に抜擢され、「夜昼奉公《ほうこう》怠らず」（『源家長日記《みなもとのいえながにっき》』）と努力していたのですが、花形の新古今歌人と自らの歌才の差は彼を愕然《がくぜん》とさせます。

元久元年（一二〇四）河合社《かわいしゃ》禰宜就任をはばまれ、後鳥羽院が新たな社の禰宜職を提案しましたが、なんと長明は拒否して、失踪してしまったのです。その後、長明は出家し、大原、日野に隠棲《いんせい》します。

ここまでは挫折が目立つ長明ですが、晩年になって立てつづけに、随筆『方丈記』、歌論書『無名抄《むみょうしょう》』、仏教説話集『発心《ほっしん》集』を執筆し、作家として後世に名を残します。執筆の直前に鎌倉に下向《げこう》し、源実朝と面会したことが、長明の心に火をつけたのかもしれません。ほんとうに人生は最後の最後まで何があるかわからないものです。

（谷　知子）

方丈記《ほうじょうき》

行く川のながれは絶えずして、しかももとの水にあらず。淀みに浮ぶうたかたは、かつ消えかつ結びて、久しくとどまることなし。世の中にある人とすみかと、またかくのごとし。（『方丈記』）

鴨長明の『方丈記』は、人の世の変遷を川の流れと水泡にたとえる描写で始まります。

この後、大火、竜巻、福原遷都、飢饉、大地震という災害記事が続きます。なすすべもなく苦しむ人々を描写する長明の筆致には、深い人間愛が感じられます。飢饉のときには、夫婦の愛情が深い方が先に死ぬ、なぜなら相手に食べ物を譲るからだというのです。人間に対する長明の深い信頼が感じられる部分です。

果てしない災害を経て、長明は方丈庵《ほうじょうあん》にたどりつきます。縦横三メートル、およそ四畳半から五畳半の庵を建てて、ミニマムな生活を始めたのです。しかも、可動式であったといいます。

『方丈記』は、首尾一貫した論理、周到な構成、人間愛に貫かれていて、時代を経ても色あせることのない作品の一つです。

（谷　知子）

55

露ふかき庭のともしび数きえて
夜やふけぬらん星合《ほしあひ》の空

藤原家隆《ふじわらのいえたか》

露が一面に置いた庭に置かれたたくさんの灯火も消えて、夜が更けたのだろうか。七夕の夜空よ。

（『六百番歌合』秋「乞巧奠《きっこうでん》」三二〇）

藤原良経（57番）邸で行われた『六百番歌合』の「乞巧奠」（コラムｐ134）題の歌です。「庭のともしび」は、乞巧奠のときに庭に設置される九本の灯台のことです。灯火と庭の草に置いた露が光り輝いていたところに、灯火が消されて、暗闇が訪れます。しかし、天空には七夕の星が輝いているのです。

藤原定家と良経も同じく灯火を詠んでいます。

秋ごとに絶えぬ星合のさ夜ふけて光ならぶる庭のともしび

（秋ごとに絶えることのない七夕の夜が更けて、地上でも光を並べる庭の灯火よ）

（『六百番歌合』定家）

星合の空の光となるものは雲居《くもゐ》の庭に照らすともしび

（七夕の空を照らす光となるものは、宮中の庭を照らす灯火だよ）

（同・良経）

天上の星と地上の灯火、二つの光が照らし合う幻想的な乞巧奠の世界です。

（谷　知子）

七夕《たなばた》と乞巧奠《きっこうでん》

七夕は、元来旧暦七月七日の節日として天皇の相撲《すまい》御覧と賦《ふ》詩《し》の宴が催されていましたが、平安時代以降、乞巧奠を中心とする祭事が広く行われるようになります。中国に由来し、諸芸の上達を願う年中行事として宮廷や貴族の私邸で行われるようになりました。

概略を示すと、庭に四つの机を設置し、菓子（梨《なし》・桃・大角豆《ささげ》・大豆《だいず》・熟瓜《うみうり》・茄子《なす》・薄鮑《うすあわび》〈干鯛《ほしだい》〉）、香炉《こうろ》などを置きます。楸《ひさぎ》の葉に金銀の針七本をさし、七つの孔《あな》に五色の糸を通し、箏《そう》の琴を置き、机の四方四隅と中央に灯台九本を立てます。

『為忠家後度百首《ためただのいえごどひゃくしゅ》』『六百番歌合』『宝治百首《ほうじひゃくしゅ》』に歌題として採用されました。

思ふことかなひやすると三年《みとせ》まで星合の空をまつりつるかな

（願いがかなうかもしれないと思い、三年間七夕を祭ってきたことだなあ）

（『為忠家後度百首』七三三・為経《ためつね》）

星に願いを、という思いは、今も昔も変わりません。

（谷　知子）

歌合《うたあわせ》

歌合は、歌人が左右に分かれて、和歌の優劣を決するという勝負、和歌行事です。現存最古の歌合は、仁《にん》和《な》年間（八八五〜八八九）に成立した「民部《みんぶ》卿《きょう》家《け》歌《うた》合《あわせ》」です。以後、歌合は和歌が生まれる中心的な場として大流行します。

典型的な歌合の形態を紹介しましょう。まず、主催者が歌人を集め、左右に分けます。歌は文台《ぶんだい》に置かれ、講師《こうじ》がそれを講誦《こうしょう》します。読師《どくじ》は補佐役です。提出された左右の歌の勝負を決めるのが、判者《はんじゃ》です。勝負の理由を記したものを、判詞《はんじ》と呼びます。

初期の歌合は、物合《ものあわせ》（菊合《きくあわせ》や女郎花合《おみなえしあわせ》など）と合体させるなどと、遊戯性が強かったのですが、次第に真剣勝負の度合いが強くなっていきます。また、判者が書き記す判詞は、勝負の結果を記すだけでなく、歌人たちの指導的な意味を持つこともありました。『六百番歌合』の藤原俊成（45番）の判詞は、その典型でしょう。

（谷　知子）

藤原家隆

56

尋ねみるつらき心の奥の海よ
潮干《しほひ》の潟《かた》のいふかひもなし

藤原定家《ふじわらのていか》

私は尋ねてみた、冷淡な恋人の心の奥の海を。そこには潮の引いた浜辺が広がっていて貝一つないように、もはや何も言う甲斐もない。

（『新古今和歌集』恋四・一三三二）

この歌の本歌《ほんか》は、『源氏物語』の和歌です。

伊勢島や潮干の潟にあさりてもいふかひなきは我が身なりけり

（『源氏物語』「須磨」巻・六条《ろくじょうの》御息所《みやすどころ》）

六条御息所が、光源氏との愛に絶望し、生きる甲斐もない自分と嘆いた歌です。「貝」と「甲斐」が掛詞で、「貝なし」に「甲斐なし」を重ねています。

　しかし、定家の歌は、伊勢島のような現実の海ではなく、「（恋人の）心の奥の海」です。伊勢島は実在しますが、「心の奥の海」は実在しません。ここに定家の恋歌の革新性があります。

「心の奥」は「本心」です。表面的な態度には表れない、心の奥深いところにある心情です。恋人の本心を知りたいという願望は、恋する人に共通してあるものですよね。この歌の詠歌主体である「私（女）」は、冷たくなった恋人の本心を知りたいと願います。そして恋人の「心の奥の海」を尋ねてみるのです。しかし、案の定その海は、干潮の潟のように乾ききって、「貝」

もないほど、枯渇していたのです。何を言っても「甲斐」もない、不毛の状態、つまり恋人の中に私への愛情はかけらも残っていなかったという結末です。

定家は、六条御息所になりきってこの歌を詠んだのかもしれませんが、本歌とは異質の、まるで夢幻能の世界のような幻想的な恋歌です。風景と心情が一体化して、分けがたく、現実なのか非現実なのかわからないシュールな世界を描いています。

もう一首、定家の恋歌を紹介しましょう。

消えわびぬうつろふ人のあきの色に身をこが
らしの杜《もり》の下露

（『新古今和歌集』恋四・一三二〇・定家）

（私の命は消えかねている。心変わりした恋人は私に飽きてしまい、我が身を焦がしている。木枯しが吹きすさび、滴り落ちようとする、木枯しの杜の下露のように）

「秋」と「飽き」、「木枯（らし）」と「焦が（す）」が掛詞で、「消え」と「露」が縁語です。心変わりした恋人のために死ぬほど苦しんでいる女心を、木枯らしが吹きすさぶ杜の中、木々から露がこぼれ落ちるという風景に重ねて表現しています。吹きすさぶ秋の木枯らしは、「飽き」という残酷な響きをもたらす男の象徴、木枯らしに揺すぶられて苦しみ、涙のような露をしたたらせる木々は、女の象徴です。しかも、その露は、初句の「消えわびぬ」がかかっており、まだ完全には落ちきっていない、最後の一瞬なのです。冬枯れに向かう風景に、恋の終焉の風景を重ね合わせた、凄絶な恋歌です。天才歌人定家の真骨頂でしょう。

（谷　知子）

藤原定家《ていか》

藤原定家は、応保二年（一一六二）偉大な歌人俊成の子として生まれました。現在知られている限り、デビューは一七歳の春の『別雷社《わけいかづちしゃ》歌合』。以後、文治《ぶんじ》二年以降主家となった九条家の藤原良経が主催する歌合や歌会を中心に活躍し、大胆な詞続き、絵画的な世界、本歌取りの手法による優艶な歌など、斬新な和歌を次々と生み出していきました。六条藤家《とうけ》などの旧派歌人から「新儀非拠達磨歌《しんぎひきょだるまうた》」とあだ名をつけて批判されていた時代です。

正治《しょうじ》二年（一二〇〇）後鳥羽院主催の『正治二年院初度百首』に参加し、定家は院と運命的な出会いをします。建仁《けんにん》元年（一二〇一）には和歌所寄人《わかどころよりうど》、『新古今和歌集』撰者の一人とされ、『新古今和歌集』撰集の中心的な役割を果たすことになります。しかし、院と定家はともに強烈な個性を持つがゆえに衝突も必至でした。『最勝四天王院障子《さいしょうしてんのういんしょうじ》和歌』の撰歌はその一つのきっかけで、定家は院に対して不満をつのらせるなど、感情的な対立が生じるようになります。そしてついに、承久《じょうきゅう》二年（一二二〇）二月一三日の歌会で詠んだ定家の歌（「さやかにも見るべき山はかすみつつわが身の外《ほか》も春の夜の月」「道の辺《べ》の野原の柳下もえぬあはれなげきの煙くらべに」）が院の逆鱗《げきりん》に触れ、二人の関係は破綻します。定家は謹慎を命じられ、もはやこれまでと思われましたが、翌年後鳥羽院が承久の乱を引き起こし、敗北、隠岐島に流されるという未曾有の事態が起きたのです。皮肉なことに、定家は復活を果たし、単独で九番目の勅撰和歌集『新勅撰和歌集』を撰進するなど、歌壇の大御所として君臨する道を歩みます。『百人一首』の原型もこの時代に作られました。

定家は鎌倉とも交流を持ち、三代将軍源実朝（58番）に相伝《そうでん》秘本『萬葉集』や歌学書『近代秀歌』を贈るなどして、和歌の指導を行いました。『近代秀歌』以外にも、定家は『詠歌大概《えいがたいがい》』『僻案抄《へきあんしょう》』『五代簡要《ごだいかんよう》』『顕《けん》註密勘《ちゅうみっかん》』『奥入《おくいり》』などの歌学書を著し、『古今和歌集』『伊勢物語』『源氏物語』『更級日記』他多くの平安時代の古典文学作品を自ら、あるいは監督書写しています。定家作が疑われている『毎月抄』『定家十体』や、『三《さん》五記《ごき》』『愚秘抄《ぐひしょう》』『桐火桶《きりびおけ》』といった定家仮託《かたく》の偽書群ともども、定家の名を語る書物が数多く後世に作られ、その権威の大きさをよく物語っています。

（谷　知子）

57

うちしめり菖蒲《あやめ》ぞかをるほととぎす
鳴くや五月《さつき》の雨の夕暮れ

藤原良経《ふじわらのりょうけい》

空気はしっとりと湿り、菖蒲が強い芳香を放っている。そこにほととぎすが鳴き、五月雨が降る夕暮れ時よ。

(『新古今和歌集』夏・二二〇)

旧暦でいう「五月の雨」は、現在の梅雨です。「菖蒲」は五月五日の端午《たんご》の節句に使われる香り高い植物。長雨がしとしとと降る夕暮れ時、視覚が閉ざされてゆくにつれ、皮膚感覚、嗅覚《きゅう》、聴覚が、逆に研ぎ澄まされてゆきます。菖蒲の香り、ほととぎすの鳴き声が薄暗い中で交響する、日本の夏の風景です。また、恋歌「ほととぎす鳴くや五月のあやめ草あやめも知らぬ恋もするかな」(『古今和歌集』恋一・四六九・読み人知らず)を本歌とし、さらに外出を控えなければならない忌み月五月に設定したため、夕暮れ時なのに恋人に逢えない鬱屈が、梅雨時の閉塞感と重なってゆきます。

作者良経は摂関家に生まれ、政界で活躍する一方で、和歌や漢詩などの文学を愛し、多くの作品を生み出しました。また、後鳥羽院を輔佐《ほさ》し、『新古今和歌集』「仮名序」を執筆するなどして、その完成に導いた人物です。(谷　知子)

58

宮柱《みやばしら》ふとしきたてて万代《よろづよ》に
今ぞ栄えん鎌倉の里

源《みなもとの》 実朝《さねとも》

鶴岡の宮に厳《いか》めしく立派な宮柱をたてて、今より万代にわたり
栄え続けてゆくことだろう、この鎌倉の里。

（『金槐集《きんかいしゅう》』雑・六七六）

鎌倉三代将軍源実朝の和歌です。興福寺南円《こうふくじなんえん》堂《どう》を建てたときに春日大社の摂社榎本明神《えのもとみょうじん》が詠んだという歌「補陀洛《ふだらく》の南の岸に堂たてて今ぞさかえむ北の藤波」（『新古今和歌集』神祇《じんぎ》・一八五四・春日榎本明神）を本歌としています。春日明神の加護によって藤原氏が栄えるだろうという本歌を、源氏の氏神八幡神の加護によって鎌倉が永久に栄えることに転じて詠んだのです。

初句の「宮柱」は、鎌倉にある鶴岡《つるがおか》八幡宮社殿の柱のことです。「宮柱ふとしきたてて」という表現は、『萬葉集』（巻一・三六・柿本人麻呂など）にある用例に学んだのでしょう。「万代に今ぞ栄えん」は、帝や朝廷を言祝《ことほ》ぐときに用いられることがほとんどですが、実朝は鎌倉の里、鎌倉幕府や将軍である自分の治世の永遠を祝うことばとして詠んだのです。

源実朝と聞くと、貴族の真似事をする、どこか頼りない、弱腰なイメージがあるかもしれません。しかし、この和歌を読むと、力強い為政

者としての実朝像が浮かび上がってきます。

実朝の次の歌も興味深いです。

君が代も我が世も尽きじ石河や瀬見《せみ》の小川

（54番）**の絶えじと思へば**（『金槐集』六七五）

（君が代も我が世も尽きることはないだろう。石河の瀬見の小川——賀茂川——の流れが絶えることはあるまいと思うので）

「我が世」が「君が代」と並置されているのです。「宮柱」の歌同様、順徳天皇の即位の年に詠まれたと推測されています。京都の帝を祝うと同時に、鎌倉や将軍である自分をも言祝いだのです。天皇（京都）と将軍である自分（鎌倉）を対立させるのではなく、ともに繁栄したいと願っています。鎌倉の永遠と、民を守りたいという願いを、和歌の力に託そうとする東国の王の覚悟を見ることができる歌ではないでしょうか。

鶴岡八幡宮は、源頼義《よりよし》が源氏の氏神である京都の石清水《いわしみず》八幡宮を由比郷《ゆいのさと》に勧請《かんじょう》し、由比若宮、鶴岡若宮と称したことに由来し、後に頼朝が現在の鎌倉市雪ノ下に遷《うつ》しています。建久二年（一一九一）の三月に鎌倉で大火が起こり、鶴岡八幡宮の社殿も延焼してしまいましたが、頼朝がその二日後に参拝し早急に造営するよう命をくだしています。それだけ鎌倉にとって鶴岡八幡宮の存在は大切なものだったのです。

現在も鶴岡八幡宮は鎌倉の顔であり、中心的存在です。美しい緑と社殿の朱色が調和した荘厳な姿は昔のままで、頼朝・実朝を祀《まつ》る白旗《しらはた》神社、静御前が舞ったという舞殿《まいどの》が歴史と物語を現在に伝えています。

（栃原茅乃）

59

われこそは新島守《にひじまもり》よ隠岐《おき》の海の
荒き波風《なみかぜ》心して吹け

後鳥羽院《ごとばいん》

我こそは新しい島守であるよ。隠岐の海の荒々しい波風よ、心して吹けよ。

（「後鳥羽院遠島《えんとう》百首」九七）

後鳥羽院は、承久《じょうきゅう》の乱（承久三年〈一二二一〉）、に敗れ、隠岐島に流されました。この歌は、流された翌年に隠岐で詠まれたものです。「新島守」ということばを、都の歌人藤原家《いえ》隆《たか》も用いています。

もののふの新島守も心あらば君にかなしき月や見るらん

（新しい武士の島守も心があるのならば、院にとって悲しい月を同じ心で見ているのだろうか）

（『壬二《みに》集』三〇六三）

家隆は院の護衛・監視をする武士の意味で用い、院は自分自身をその武士だと名乗っているのです。平田秀夫氏は、家隆の和歌を引いたうえで、「『島守』という語彙は、島を守護する武者のイメージがあり、院の『われこそは新島守よ』の歌は、やはり武のイメージを持った荒々しい王の意思を表した歌なのであろう」という解釈を示しています（「隠岐の後鳥羽院」『後鳥羽院のすべて』新人物往来社、二〇〇九年）。後鳥羽院は、武士に都を追われて隠岐に流された院が、自ら武士を名乗ったのです。しかも、都から遠く離れた小さな島の島守でした。

末句の「心して吹け」は、「お願いだから……ください」という懇願のニュアンスなのか、それとも帝王として命令している強い口調なのかで、解釈が分かれるところです。小野篁《おののたかむら》（15番）と菅原道真《すがわらのみちざね》（20番）の配流にまつわる歌を引用してみましょう。

わたの原八十島《やそしま》かけて漕ぎ出《い》でぬと人には告げよ海人《あま》の釣り舟

（『古今和歌集』羇旅《きりょ》・四〇七・小野篁）

（大海原を目指して船を漕ぎ出していったと、都に残してきた人には告げてくれ、漁師の釣船よ）

東風《こち》吹かばにほひおこせよ梅の花あるじなしとて春を忘るな

（『拾遺和歌集』雑春・一〇〇六・菅原道真）

（もし東風が吹いたならば、その香りを筑紫国の私のもとまで送ってよこしてくれ、梅の花よ。主人がいないからといって、春を忘れないで咲くのだよ）

篁の「人には告げよ」、道真の「春を忘るな」も、後鳥羽院の「心して吹け」同様、命令形です。呼びかける相手は、波風、釣り舟、梅の花、とそれぞれに異なるのですが、ことばを持たないものという点で共通しています。返事があるはずのないものに呼びかけるという空しさ、究極の絶望がこれらの歌の本質なのではないでしょうか。

（谷　知子）

後鳥羽院《ごとばいん》

後鳥羽院は治承《じしょう》四年（一一八〇）高倉天皇第四皇子として誕生、寿永《じゅえい》二年（一一八三）平氏が安徳天皇を伴って都落ちしたため、三種の神器がないまま即位しました。建久九年（一一九八）土御門《つちみかど》天皇に譲位した後、和歌に親しみ始めます。力のある歌人を召し出し、活躍の場を与えると同時に、詩と和歌という異なる形態の作品を合わせて勝負をつける『元久詩歌合《げんきゅうしいかあわせ》』、『千五百番歌合』では自ら折句《おりく》（コラムp65）という方法を用いて判詞《はんじ》をつけるなど、斬新な企画を次々と実行しました。建仁元年（一二〇一）には第八代勅撰和歌集『新古今和歌集』を下命し、自らも撰集に強く関与します。

鎌倉に幕府が置かれた後、承久《じょうきゅう》三年（一二二一）五月、院は承久の乱を引き起こします。結果は鎌倉幕府の勝利、後鳥羽院は隠岐《おき》へと流されてしまいました。隠岐においても和歌活動を止めることなく、『遠島御百首』『後鳥羽院自歌合』『遠島御歌合』隠岐本『新古今和歌集』『時代不同歌合《じだいふどうかあわせ》』など、続々と制作します。在島一八年後の延応《えんおう》元年（一二三九）隠岐の地でその生涯を閉じました。

（谷　知子）

新古今和歌集と後鳥羽院

『新古今和歌集』は、第八番目の勅撰和歌集。下命者は後鳥羽院、撰者は源通具《みちとも》・藤原有家《ありいえ》・藤原定家《ていか》・藤原家隆《いえたか》・藤原雅経《まさつね》・寂蓮《じゃくれん》（中途にて他界）です。建仁元年（一二〇一）和歌所《わかどころ》設置、元久二年（一二〇五）三月二六日の「新古今和歌集竟宴《きょうえん》（今でいえば、出版記念祝賀会）」で公的には完成を見ます。しかし、完璧主義の後鳥羽院はその後も改訂作業を続け、隠岐に流された後には、隠岐本『新古今和歌集』を完成します。院にとって、『新古今和歌集』は自らの生涯をかけた事業だったのです。

藤原良経が著した「仮名序」には、「（やまと歌は）世を治め、民を和らぐる道とせり。（〈和歌は〉世の中を治め、国民を慰撫する方法としている）」という文言があります。この一文の主体は、後鳥羽院です。政治と和歌との結びつきが、これまでの勅撰和歌集以上に明確に打ち出されていることは注目すべきでしょう。

（谷　知子）

60

旅人もみなもろともに朝立ちて駒《こま》うちわたす野洲《やす》の河《かは》霧

阿《あ》仏《ぶつ》尼《に》

旅人もみなそろって朝出立し、
馬が渡る浅瀬を案内してくれる野洲の河霧よ。

（『玉葉和歌集』旅・一一三五）

弘安二年（一二七九）一〇月一六日、阿仏尼は鎌倉に向けて出発しました。目的は訴訟です。夫藤原為家《ためいえ》から実子為相《ためすけ》が譲り受けた播磨国《はりまのくに》細川庄（兵庫県三木市）をめぐって、前妻の嫡男《ちゃくなん》為氏《ためうじ》との間で争いが起きたため、鎌倉幕府に訴えたのです。

この歌は、出発の朝詠まれたものです。『十六《いざ》夜《よい》日記』の記述を引用しましょう。

野洲川を渡るほど、先立ちて行く人の駒の足の音ばかりさやかにて、霧いと深し。

（野洲川を渡る頃、先立って行く人の姿は見えず、馬の足音だけがはっきり聞こえて、霧がとても深い）

「野洲川」は、鈴鹿山脈南部から流れ、野洲平野を流れて琵琶湖に注ぐ川です。この後、60番の和歌が続きます。

この裁判は長期にわたりましたが、阿仏尼の死後勝訴します。阿仏尼の訴えの正当性を証明する為家の遺言状が冷泉家に伝えられていて、彼女の無念は晴らされたのです。（谷　知子）

61

梅の花くれなゐにほふ夕暮に
柳なびきて春雨ぞ降る

梅の花が紅色に咲き匂う夕暮に、
緑の柳が風になびき、春雨が降る。

（『玉葉和歌集』春上・八三）

京極為兼《きょうごくためかね》

乾元《けんげん》二年（一三〇三）「為兼家歌合」の歌です。判者の伏見院《ふしみいん》から「梅柳雨中の粧《よそほひ》は、なほ比類少なし（梅と柳の雨中の美しい様子は、やはり比類がない）」と絶賛されています。紅、緑の色が鮮やかですが、色を和らげるような雨と夕暮の薄暗がりを設定したところが、繊細で京極派らしい叙景歌です。

本歌、あるいは参考とした歌は次の二首です。引用しておきましょう。

春の苑紅《そのくれなゐ》にほふ桃の花下照《したて》る道に出《い》で立つ娘子《をとめ》
（春の苑に紅色に咲く桃の花、その花の色が木の下まで照り輝く道に出てたたずむ乙女よ）（『萬葉集』巻一九・四一六三・大伴家持《おおとものやかもち》）

折られけり紅《くれなゐ》にほふ梅の花今朝白妙《しろたへ》に雪は降りつつ
（折ることができたよ、紅色に咲き匂う梅の花は。今朝真っ白に雪が降る中を）
（『新古今和歌集』春上・四一・藤原頼通《よりみち》）

（谷　知子）

京極《きょうごく》為兼《ためかね》

京極（藤原）為兼は、京極家の祖為教《ためのり》の子。祖父為家《ためいえ》の嵯峨中院《ちゅういん》邸に泊まり込んで和歌を学び、伏見《ふしみ》天皇から為世《ためよ》・雅有《まさあり》・隆博《たかひろ》と共に勅撰の撰者を命じられますが（永仁《えいにん》勅撰の議）、完成を見ませんでした。その頃、為兼はあろうことか佐渡に配流《はいる》されてしまいます。約五年後帰京を果たし、伏見院から為兼単独で勅撰和歌集撰進の院宣《いんぜん》を下され、正和《しょうわ》元年（一三一二）に『玉葉《ぎょくよう》和歌集』を奏覧します。この間、二条為世との間で延慶《えんぎょう》両《りょう》卿《きょう》訴《そ》陳《ちん》という激しい論争があったことは有名です。

しかし、強引な政治介入が反感を買い、今度は土佐国に配流となり、帰京できないまま他界しました。優れた歌人で、堂々とした人物でしたが、反面傍若無人で傲慢な態度に見えることもあったようです。

歌論書『為兼卿和歌抄』は、「心のままに詞の匂《にほ》ひゆく」和歌が提唱されています。心が大事で、その心を的確に表現するのであれば詞《ことば》は伝統にこだわらないという考え方です。実際詠まれる和歌は伝統的な修辞を遠ざけ、自由で斬新な作風を得意としました。

（谷　知子）

京極派

京極派とは、京極為兼が打ち立てた歌道の流派のことで、勅撰和歌集としては、『玉葉和歌集』（撰者為兼）、『風雅和歌集』（撰者光厳院《こうごんいん》）が京極派歌人の単独撰で、伝統にしばられない清新な和歌が特徴です。

草むらの虫の声より暮れそめて真砂《まさご》の上ぞ月になりぬる

（草むらの虫の声が聞こえ始めると日も暮れ始め、真砂の上が輝く月光に満たされている）

（『風雅和歌集』秋中・五七九・光厳院）

「暮れそめて」は『風雅和歌集』に特異な歌ことばですが、実は、このことばは、藤原定家に先例があります。

暮れそめて草の葉なびく風のまに垣根すずしき夕顔の花　（『六百番歌合』夏下・夕顔・藤原定家）

相手方の歌人から「聞き馴れない」と非難され、『新古今和歌集』にも「暮れそめて」の用例はありません。このような新奇な表現を京極派歌人が積極的に用いた例は多数あります。京極派歌人たちは、新しい歌の世界を模索した新古今歌人たちの試みに深く共鳴していたのだと思います。

（谷　知子）

62

さ夜ふけて宿守《も》る犬の声高し
村しづかなる月の遠方《をちかた》

伏見院《ふしみいん》

夜が更けて、家を守る犬の声だけが空高く聞こえる。
村は静寂につつまれ、月光が照らし出す遠方の景色よ。

（『玉葉和歌集』雑二・二一六二）

月光が、あたかも舞台のスポットライトのように、遠くの村まで照らし出し、そこにぽっかりと浮かぶのは、静かに眠る深夜の村の風景です。犬の遠吠えの声がかえって村の静寂を高め、眠るように静まり返った村、犬の遠吠え、全てがひとかたまりとなって、月光の中にぽっかりと浮かび上がっています。叙景歌の白眉《はくび》でしょう。みごととしか言いようがありません。

伏見院は、この歌のかたちに落ち着くまでに何度も試行錯誤をしています（「広沢切《ひろさわきれ》」）。自然をそのままに写実するのではなく、最も鮮やかに風景を浮かび上がらせることばを選びぬいているのです。カメラのような視線と同時に、練り上げられた魔法のようなことばがこの叙景歌を形作っています。和歌は三十一文字という小さな世界ですが、大きな力を持つ不思議な文学だと、改めて感じさせてくれる一首です。

（谷　知子）

とはずがたり

『とはずがたり』は、鎌倉時代末期に成立した、物語的要素を持つ日記です。作者は村上源氏の中院《なかのいん》雅忠の娘の後深草院二条《ごふかくさいんにじょう》（63番）。前半部三巻は宮廷編、後半部二巻は紀行編と呼ばれます。物語的脚色はあるものの、南北朝時代の端緒となる皇室内の対立が始まった時期の記録としても貴重です。頽廃《たいはい》した宮廷の様子を赤裸々に描くとともに、追い込まれてゆく自らの境遇や周囲の人物像も鮮やかに描いていて、飽きることがありません。

　二条は、幼い頃から後深草院の御所で育ち、成人後、院の愛人となります。『源氏物語』の紫の上のような展開ですね。『とはずがたり』には、各所に『源氏物語』の影響がみられるのです。院以外にも、雪の曙（西園寺実兼《さねかね》）、有明の月（性助《しょうじょ》法親王か）、鷹司兼平《たかつかさかねひら》、亀山院と次々と関係をもち、いくどか出産もしています。なかでも有明の月という高僧の愛は激しく、強烈な印象を残します。

　後半部になって二条は尼姿で登場し、憧れだった「女西行」を実現し、東国西国を旅します。当時の女性の旅としては驚くほど広範囲で、紀行文としても読みごたえのある内容となっています。前半部に登場した恋人たちは姿を消し、後深草院だけがかつての恋人として登場し続けます。後深草院が崩御、その亡骸を乗せた車を二条が裸足で追いかける場面は圧巻です。

あわてて、履きたりし物もいづ方へか行きぬらむ、はだしにて走り降りたるままにて参りしほどに、（略）物は履かず、足は痛くて、やはらづつ行くほどに、皆人には追ひ遅れぬ。

（『とはずがたり』巻五）

（あわてて履物もどこにか行ってしまったのだろうか、裸足で走り降りたままでついていくと、（略）履物をはかず、足が痛くて、そろそろ棺を追いかけて行くうちに、皆から遅れてしまった）

　その後、二条は熊野那智に参詣し、夢を見ます。夢の中で亡き父と亡き院が現れ、院の身体的秘密を明かすとともに、院が衆生の苦しみを代わりに受けているのだという真実へと彼女を導きます。人を愛するということは、その人の人生を意義づけること、価値を付与することなのだということを教えてくれる作品です。

（谷　知子）

63

浮き沈み三瀬川《みつせ》にも逢ふ瀬あらば
身を捨ててもや尋ねゆかまし

後深草院二条《ごふかくさいんにじょう》

浮き沈み、三途《さんず》の川であってもあの方に逢う瀬があるのならば、
この身を捨てても逢いにいきたいのに。

（『とはずがたり』巻三）

『とはずがたり』の作者後深草院二条は、後深草院をはじめ、多くの男性に愛された女性です。なかでも執念というまでに彼女を愛しぬいたのが、有明《ありあけ》の月と呼ばれる男性です。

有明の月は性助法親王《しょうじょほっしんのう》、後深草院の異母弟にあたり、真言宗仁和寺《にんな》を拠点に活躍した高僧と言われています。彼のあまりにも激しい求愛に戸惑う二条でしたが、ついに関係を持ちます。二人の間には子どもも生まれるのですが、有明の月は流行病で亡くなってしまいます。僧侶であるならば、現世に執着を残さずに往生すべきなのでしょうが、有明の月は二条に未練を残しながらの死でした。

かかる病《やまひ》に取りこめられて、はかなくなりなむ命よりも、思ひ置くことどもこそ罪深けれ。

（略）

身はかくて思ひ消えなむ煙だにそなたの空になびきだにせば

（このように病魔にとらえられて、死んでしまう自分の命よりも、あなたや私たちの子ど

もを思い残すことが特に罪深く思われる。

（略）

我が身はこのように恋の思いのために死んでしまうでしょう。我が身を火葬した荼毘《だび》の煙だけでも、あなたのいる空の方になびいていってくれたらそれでいい）

有明の死後、遺品の文箱《ふばこ》が届けられます。中には手紙が入っていましたが、文字が乱れていて判読できません。二条は悲しさと恋しさがこみあげてきて、「浮き沈み」の歌を詠んだのです。

愛する人が死んでしまった後、もう一度会いたい、一目だけでも会いたいと願う気持ちは、今も昔も変わりません。古来、死者の国を尋ねてゆく、使者をつかわして手紙だけでも届けたいと願う歌や物語は数多く存在しています。

秋山の黄葉《もみち》を繁み惑《まと》ひぬる妹を求めむ山路《やまぢ》知らずも

（秋山の黄葉が茂っているので、迷い込んだ妻を探す山路がわからないなあ）

（『萬葉集』巻二・二〇八・柿本人麻呂）

尋ね行くまぼろしもがなつてにても魂《たま》のありかをそこと知るべく

（亡き更衣を探しに行く幻術士がいてほしい。そうすれば、彼女の魂のありかをどこそこと知ることができるだろうに）

（『源氏物語』「桐壺」巻・六・桐壺院）

『源氏物語』の「まぼろし」は、唐の詩人白楽天の「長恨歌《ちょうごんか》」の「道士《どうし》（仙人）」のことで、玄宗《げんそう》皇帝が亡き楊貴妃《ようきひ》の魂を探させたことをふまえています。

しかし、それはむなしい願いです。現実にかなえることは難しいでしょう。だからこそ、二条も「まし」という反実仮想（事実とは反対のことを想定すること）で締めくくっているのです。この後、二条は有明の遺児を出産します。二人目の子で、男の子でした。二条は深い愛情をこの子に感じています。死が二人を分かっても、絆は変わることなく、二人を結びつけていたのです。

（谷　知子）

64

こよろぎの磯より遠く引く潮に
浮かべる月は沖に出《い》でにけり

兼好法師《けんこう》

（『兼好法師集』七四）

こよろぎの磯から遠く引いてゆく潮とともに、
海面に浮かんでいた月は沖に出てしまったなあ。

『兼好法師集』の詞書に「こよろぎの磯といふところにて、月を見て」とあり、題詠ではなく、実際に現地で詠んだ歌です。「こよろぎの磯」は、神奈川県中郡大磯《おおいそ》町から小田原市国府津《こうづ》に至る海岸で、「小余綾」「古余綾」「小余呂伎」などの漢字があてられ、『萬葉集』や『古今和歌集』にも登場する歌枕です。兼好は何度か京都から鎌倉に下向し、滞在していますので、どこかの時期に詠まれたのでしょう。

兼好は、『徒然草』で有名ですが、二条為世《ためよ》を師とした歌人でもあります。『正徹《しょうてつ》物語』は、為世門下の優れた歌人四人を和歌四天王《してんのう》と名付けていますが、その中に兼好も入っています（他に、頓阿《とんあ》・慶運《けいうん》・浄弁《じょうべん》）。自撰家集『兼好法師集』も残していて、歌人としての名声は自他共に高かったのです。『続千載和歌集』以下の勅撰和歌集に一八首の和歌が入集《にっしゅう》しています。

（谷　知子）

65

野伏《のぶし》する鎧《よろひ》の袖も楯《たて》の端《は》も
みな白妙《しろたへ》の今朝の初雪

上杉謙信《うえすぎけんしん》

野宿して目覚めると、鎧の袖も楯の縁《ふち》も、
みな真っ白になった今朝の白雪よ。

（『北越者談《ほくえつきだん》』）

上杉謙信は、戦国時代の越後国《えちごこく》（新潟県）の武将です。宿敵武田信玄《たけだしんげん》との信濃国《しなののくに》（長野県）川中島《かわなかじま》の合戦は中でも有名ですね。毘沙門天《びしゃもんてん》を信仰し、和歌にも熱心でした。

天正《てんしょう》五年（一五七七）、勢力を伸ばそうとする織田信長の軍勢と戦うため、能登（石川県）に攻め入ります。七尾城《ななおじょう》を攻略した後、越前国《えちぜんのくに》（福井県）に入り、細呂木《ほそろぎ》（あわら市）に陣を敷き、野宿した翌朝の歌です。

登場する景物は、「野伏」「鎧」「楯」と、戦国武将らしいものばかりですが、それらに初雪が降り積もり、全てが真っ白になっているという美しい風景に転じられています。厳しい戦いの途中に見た白雪に、武将たちはどういう思いを抱いたことでしょうか。

謙信は、越中・能登を支配下におさめた翌年、病に倒れ、他界します。享年四九歳でした。

（谷　知子）

上杉謙信

近世——江戸時代

66

神よいかに聞きたがへたる恋せじと
はらへしままに増《まさ》る悲しさ

神よ、どうして聞き違えられたのですか。恋なんかすまいと
お祈りしたことで、ますます悲しさが増してゆきます。

（『後水尾院御集』一一五二）

後《ご》水《みずの》尾《お》院《いん》

「もう恋なんかしない」と祈ったのに、ますます恋心がつのっていく。しかも、祈った相手（神様）にむかって「聞き違い」と訴えている。まるで恋する乙女のような気持ちや態度が詠まれた歌です。

　初句「神よいかに」は六字ありますから「字余り」です。字余りとは、和歌・連歌・俳諧で、一定の音数を超えて、五音が六音に、七音が八音以上になることです。江戸後期に古典の本格的な実証研究によって国学を大成した本居宣長《もとおりのりなが》は、字余りを起こすには、句中に母音（あいうえお）の字が含まれている法則を見出しました（「大かたもじあまりは、右の如く あいうおの四つの内のもじの、なからにある句にあらずは、よむまじき也」（『玉あられ』〈寛政四年〈一六二七〉〉）。宣長の指摘どおり、たしかにこの歌の初句にも母音が入っています。

　字余りは定型の破調、つまりリズムを壊します。そのようにしても表現したかった部分ともいえます。「お祈りしたのに、どうして」とい

う強調から、避けようとした恋の苦しみが伝わってきます。

なお、この和歌は次の『古今和歌集』の歌（題しらず、読み人しらず）に拠っています。

恋せじと御手洗川《みたらしがは》にせし禊《みそ》ぎ神はうけずぞなりにけらしも

（『古今和歌集』恋一・五〇一）

もう恋はすまい、と御手洗川で禊（神社のそばを流れる川の水に浸かり身体を清める）をして誓ったが、神様はその禊をご受納なさらなかったに違いない、と詠むこの歌は『伊勢物語』第六五段に入っています。天皇の寵愛を受けた女のもとに通ううち、あきらめきれなくなった男とは在原業平、女は藤原高子といわれています。

さて、江戸前期の和歌は宮廷歌壇によって高い水準を保持しました。なかでも後水尾院は近世和歌の創始者という存在であり、添削指導者としても活躍しました。学芸を奨励し、修学院離宮の計画・設計でも著名です。

一方、天皇としての後水尾院は慶長一六年（一六一一）に一六歳で即位（第一〇八代）し、一九年の在位期間は徳川幕府の朝廷抑制にあうなど多難でした。元和六年（一六二〇）に徳川和子が入内しましたが、その以前より権大納言四辻公遠《よつつじきんとお》の娘で典侍《ないしのすけ》だった与津子（およつ御寮人）を寵愛していました。皇子・皇女を儲けましたが、和子を入内させた江戸幕府の圧力によって引き裂かれ、与津子は落飾して明鏡院と号しました。（この経緯を宝塚歌劇が『花供養』〈一九八四年初演〉という作品にしています。）

この和歌には、そのように身分ゆえにままならない後水尾院の恋の悲しみ、叫ぶような思いが詠まれているようです。

（吉田弥生）

67

天河《あまのがは》みなぎるいさごとしつもり
空よりなせるふじのしば山

下河辺《しもこうべ》長流《ちょうりゅう》

天の川に溢れ返る砂が年月の積み重なるにつれて積もり、
空から降って出来上がった富士山であるよ。

（『晩花集』四五九）

『晩花集』は下河辺長流の自撰歌集です。長流は三都（江戸・京・大坂）を転々として歌学・和歌などを学んだのち代々和歌にすぐれた三条西家に仕え、水戸徳川家の依頼で『萬葉集』の注釈に取り組みました。

この和歌には「富士の山のうたあまたよめりし中に（富士山の和歌をたくさん詠んだ中から）」という詞書があります。「ふじのしば山」は、『萬葉集』の頃では「天の原富士の柴山木の暗の時ゆつりなば逢はずかもあらむ（空高くそびえる富士の麓の柴山の木の葉が暗く茂る時が過ぎていったら、もう逢えないかもしれない）」（『萬葉集』巻一四・東歌・三三五五）というように雑木が生えた山を意味していましたが、江戸期には富士山そのものを指しました。

天の川の砂が天から降って富士山になった、という壮大なファンタジーです。　（吉田弥生）

68

萩すすき秋まつ露の庭もせに名もなき草も色は添ひけり

武者小路実陰《むしゃのこうじさねかげ》

萩や薄が露を帯びて秋の到来を待って庭いっぱいに茂る中、(萩や薄のように) 名を持たない草もそれなりに目立とうとして色が濃くなったことだ。

(『芳雲集』夏・一四三二)

武者小路実陰は権大納言従一位の准大臣の地位にあり、江戸前期から中期の宮廷歌人として屈指の存在でした。『芳雲集』は『芳雲和歌集類題』の略称です。

この歌には「夏草滋」の題があります。「名もなき草」こそ、その「夏草」です。結句の「色は添ひけり」は茂った草の、色が濃くなった様子をとらえてます。

秋の草として有名な萩や薄が茂り、季節の到来を待つばかり。そんな中を一方では名もない夏草がますます茂って、その盛りを全うしようとしているといった情景なのです。夏から秋へ、主役交代が迫る時期、そうした夏草の様子をいじらしく感じて詠んだのでしょう。(吉田弥生)

堂上《とうしょう》と地下《じげ》

堂上とは、本来宮中で昇殿を許された人を指しますが、近世和歌においては、皇室・公家を中心に、歌学を継承し、伝統的な和歌を詠むことができる人々を指します。地下は、逆に昇殿を許されない人のことですが、公家以外の武家や町人・僧侶・神官を指し、国学者（コラムｐ168）や桂園《けいえん》派（香川景樹《かがわかげき》〈75番〉の一門）を意味する場合もあります。

近世初期、細川幽斎《ほそかわゆうさい》からの古今伝授を智仁《としひと》親王を通じて受けた門流の後水尾院《ごみずのおいん》（66番）を中心に堂上歌壇ができ、中院通村《なかのいんみちむら》・烏丸光広《からすまるみつひろ》らが活躍します。院の和歌を紹介しましょう。

百敷《ももしき》や松の思はん言《こと》の葉の道を古きにいかで返さん
（『後水尾院御集』八七七）

（宮中の松も思案するだろう、松の葉ならぬ和歌のことばを古き世に何とかして戻したい）

「古きにいかで返さん」は、「言の葉の道」つまり和歌の道だけのことではなく、政治の道も含んでいるでしょう。徳川の世にあって、院の和歌に寄せる思いは王道の復活と関わっていたはずです。

さらに、後水尾院の皇子霊元院《れいげんいん》の時代になると、中院通茂《みちもち》・武者小路実陰《さねかげ》（68番）らが活躍し、さらに隆盛を見ます。院は、幕府と対立しながらも、絶えていた大嘗祭《だいじょうさい》などの朝儀を復興させる政策を行っています。父同様、和歌を詠むことは、ただのすさびごとではなく、王政復古と深く結びついていたのでしょう。

堂上歌人は、武家などの門人を持ち、添削・講釈などの指導を行っていました。霊元院から和歌の指導を受けた冷泉為村《れいぜいためむら》（69番）は、三千人もの門人を獲得していたとも言われています。

一方、地下で有力な歌人は、松永貞徳《まつながていとく》・木下長嘯子《きのしたちょうしょうし》、その弟子で歌学の加藤盤斎《ばんさい》・北村季吟《きぎん》、堂上和歌を批判した下河辺長流《しもこうべちょうりゅう》（67番）・戸田茂睡《とだもすい》と続きます。貞徳は、地下でありながら、細川幽斎から古今伝授《こきんでんじゅ》を受け、伝統和歌の道を選びましたが、長流は和歌を木下長嘯子に学び、地下の私撰集『林葉累塵集《りんようるいじんしゅう》』を出版しています。

（谷　知子）

歌の家と冷泉家

歌の家と呼ぶのにふさわしいのは、六条家とその子孫の九条家、御子左家《みこひだりけ》（藤原俊成・定家・為家《ためいえ》）とその子孫の二条家（為氏《ためうじ》）・京極家《きょうごくけ》（為教）・冷泉家《れいぜいけ》（為相《ためすけ》）、飛鳥井家《あすかいけ》（雅経《まさつね》）あたりでしょうか。いずれも代々歌人を輩出し、和歌界の指導的役割を果たした家柄です。平安時代末期になってくると、和歌の蓄積が膨大なものとなり、和歌を詠むのにも、学問や精神的修養が必要とされるようになります。また、歌合や屏風歌などに、天皇や摂政関白が出詠するようになり、和歌の指導者が求められるようにもなってきました。

歌の家の注目すべき嚆矢《こうし》は、六条家です。祖の藤原顕季《あきすえ》は自邸で歌会や歌合を開催し、パトロン的役割を果たします。また、白河院所蔵の人麿《ひとまろ》画像を借りて模写し、人麿画像供養と歌会を合体させた人麿影供《えいぐ》を創始し、画像を歌才があると認めた子の顕輔《あきすけ》に相伝しています。顕輔もまた和歌の指導者として活躍し、一門が和歌を通じて結束、人麿画像はさらに顕輔の子清輔《きよすけ》に譲られます。こうして、歌の家が形成されていったのです。

現代に伝わる歌の家といえば、冷泉家です。藤原道長の子長家を祖とし、俊成（45番）・定家（56番）・為家が歌道家の地位を確立した後、為家と阿仏尼《あぶつに》（60番）の間に生まれた為相《ためすけ》が冷泉家の祖となります。父から多数の歌集、歌書などが譲られてから今日に至るまで、国宝五件、重要文化財四七件をはじめ、数万点もの古典籍がたいせつに守られています。

しかし、冷泉家の道のりは決して平坦なものではありませんでした。九代為満《ためみつ》は正親町《おおぎまち》天皇の勅勘を受けて、大坂・堺に一時移住していますし、散逸《さんいつ》を恐れた霊元《れいげん》天皇によって古典籍を収めた蔵「御文庫」が封されて、和歌を学ぶことができなくなった時代もありました。約一〇〇年後、一四代為久《ためひさ》の代に封が解かれ、一五代為村《ためむら》（69番）の代には飛躍的に冷泉家の門弟の数が増え、隆盛期を迎えます。

明治維新を迎えた後も京都を離れず、二四代為任《ためとう》が財団法人「冷泉家時雨亭《しぐれてい》文庫」を設立し、文庫をはじめとする文化財保存の体制を整えて、今日に至っています。

（谷　知子）

69

唐土《もろこし》の秋にはしらじ秋津州《あきつす》の秋は今夜《こよひ》の名にしおふ月

唐土の秋においては知ることもあるまい。わが日本の秋といえば今宵十三夜として名高い月の美しさを。

冷泉為村《れいぜいためむら》

（『樵夫問答《しょうふもんどう》』九九）

「唐土」はかつて日本から中国をさして呼んだ名称です。「唐土船」など中国から伝来した事物に冠しても用いました。『日本書紀』巻第二二に「大礼《だいらい》小野臣妹子を大唐《もろこし》に遣《つかは》す」（推古一五年七月）とありますから、六世紀頃からの呼称と考えられます。交通が盛んだった春秋戦国時代の越（現在の浙江省《せっこうしょう》）から諸物が渡来する、つまり「諸来（モロコシ）」から中国全土を指すようになったという語源説があります。

「秋津州」は和歌を詠む時にのみ用いられる、いわゆる歌語（歌ことば）です。本来は「あきつしま」ですが「州（しま）」が「す」と誤読されて用いられてきました。為村と同じく近世歌人の千種有功《ちぐさありこと》の和歌「くもらめや千秋ももあき秋津州のやまと島根の月の光は（曇ることがあろうか、いやあるまい。千秋と百秋と無数に繰り返される秋の日本の月の光は）」（『千々《ちぢ》廼《の》舎《や》集』二〇）にも「秋津州」が詠まれます。有功の和歌では「秋津州のやまと島根」で日本そのものを指し、日本という国の永遠の発展を祈る歌となっていますが、為村のこの和歌でも同じく、日本という国の風土や季節などを誇る際に用いていることがわかります。

現在、「お月見」といえば「十五夜」に薄《すすき》やお団子を供えて、収穫の感謝と翌年の豊作を祈る秋の風習と考えられています。日本には古来より月を愛《め》でる慣習がありましたが、実は「十五夜の月見」は中国から七世紀後半に中国から伝来したものだといわれます。貴族たちが月を愛でながら詩歌や管弦を楽しむようになりました。収穫祭の意味を持ったのは江戸時代以降です。

旧暦八月一五日の十五夜は「仲秋《ちゅうしゅう》の名月」ともいいます。旧暦では七月が初秋、八月が仲秋、九月が晩秋と区分していました。現代の暦では九月中旬から十月上旬の満月の日となるため、「十五夜」は年によって日が変わります。

さて、この和歌では「唐土」伝来ではない「十三夜」（旧暦九月一三日の夜。醍醐天皇が清涼殿で宴を開催した。その最初は延喜一九年〈九一九〉）を重視しています。為村には「九月十三夜詠三十一首和歌毎歌首令冠字」という奉納和歌もあります。十三夜の月こそ美しい「名にしおふ月」。近世期において冷泉家を隆盛させた、非凡な歌才の為村らしいセンスが感じられます。

（吉田弥生）

70

鏡だに捨つればくもることわりや
おもひてみがけおのが心を

田安宗武《たやすむねたけ》

鏡でさえも打ち捨てて手入れをしないと曇るのが道理であるよ。
念を入れて磨きなさいよ、自分の心を。

(『悠然院様御詠草《ゆうぜんいんさまごえいそう》』四五)

田安宗武は八代将軍・徳川吉宗の次男に生まれ、延享三年(一七四六)に十万石の田安徳川家を確立しました。儒学や和歌、古くから伝わる儀式や制度などの有職故実《ゆうそくこじつ》に通じたといわれます。『悠然院様御詠草』や『天降言《あめふりごと》』などがあります。

「鏡だに」は副助詞「だに」が状態を取り上げた強調で「…でさえ」と類推させています。「ことわりや」は道理を意味する「ことわり」に間投助詞の「や」が付いて「道理であるよ」と呼びかけます。

大変わかりやすく、現代人の心にも響いてくる歌ではないでしょうか。日々の修養に努めなければ、曇ってしまう。まるで人生訓のような歌がストレートに詠まれています。いつも心に留めておきたい歌といえましょう。(吉田弥生)

徳川家と和歌

寛永《かんえい》三年（一六二六）九月六日、江戸幕府の企画によって、後水尾《ごみずのお》天皇が徳川家康創建の二条城に行幸しました。既に将軍徳川秀忠《ひでただ》の娘（家康の孫）和子《まさこ》が入《じゅ》内《だい》していて、皇室と徳川家は縁戚関係を結んでいます。この行幸は、幕府の財力と権勢をアピールするために幕府側が仕組んだパフォーマンスで、天皇の玉座《ぎょくざ》は金銀で飾られ、宴会の膳具も黄金製であったといいます。そして、行幸の二日後、後水尾天皇、秀忠・家光《いえみつ》親子、摂家、公卿、徳川御三家ら七八人が参加する大規模な歌会が開催されました。歌題は、「竹契遐年」。徳川将軍は、伝統的な歌ことばを用いて天皇を祝賀する歌を詠んでいます。徳川家もまた、皇室との結びつきと同時に和歌も手放すことはなかったのです。

徳川家康はあまり和歌を好まなかったようですが、徳川一族には和歌に堪能な人物がいます。例えば、八代将軍徳川吉宗《よしむね》の孫、田安宗武《たやすむねたけ》の子松平定信《まつだいらさだのぶ》です。徳川御三家の田安家に生まれ、松平家の養子となった人物で、後に老中首座となり、寛政の改革を行ったことで有名です。歌集や物語を読んだだけでは頭に入らないので、繰り返し書写して学んだという努力家です。家集『三草集《さんそうしゅう》』三巻を自撰し、出版刊行しています。花と月に強い愛着を持ち、随筆『花月草紙《かげつそうし》』、日記『花月日記』を執筆するほか、「花月老人」と名乗り、次のような花月に執着する和歌も詠んでいます。

雲風を浮き世の空に残し置きていざ月花を我がものにせん　（『三草集』）

（雲風を浮き世の空に残し置いて、さあ月と花を自分のものとしよう）

次に紹介するのは、徳川家康の子頼房《よりふさ》の三男徳川（水戸）光圀《みつくに》です。水戸藩二代藩主で、『大日本史』編集のため、彰考館《しょうこうかん》を設立したことで有名です。また、学者を集め、『釈《しゃく》萬葉集』という注釈書も作成しています。自身の和歌や文章は『常山詠草《じょうざんえいそう》』に収めました。

荒磯の岩にくだけて散る月を一つになしてかへる波かな　（『常山詠草』）

（波に映って荒磯の岩に砕けて散るように見える月光を、一つにまとめてかえってゆく波であることよ）

二条派の伝統的な和歌に学びつつ、写実的な歌を好んで詠んでいます。

（谷　知子）

71

いにしへの詞ならずはあたらしき
こころの花もいかでみゆべき

古い時代の詞でなければ、新しい
詩情の美しさもどうして浮かび上がって来ようか。

日野資枝《すけき》

（『日野資枝百首』三七）

日野資枝は冷泉為村《ためむら》が主導する宮廷歌壇で学び、為村亡き後は冷泉門の武家歌人たちの指導者となりました。『日野資枝百首』は現在宮内庁書陵部資枝自筆本が所蔵されます。

この歌には「懐旧」の題がありますが、藤原定家『詠歌大概《えいがたいがい》』の冒頭にある「情以レ新為レ先、詞以レ旧可レ用（情《こころ》は新しきを以て先となし、詞は旧きを以て用ゆべし）」に通じ、どちらかといえば作歌の心構えが趣旨となっているようです。

なお三句・四句は江戸前期の宮廷歌人・烏丸《からすまる》光広《みつひろ》の「匂へ世に年と宿とのあたらしき心の花も折にさかせて」（寛文九年（一六六九）刊、烏丸光広詠・烏丸資慶編『黄葉《こうよう》和歌集』）との一致が指摘されています。実は、元々「いかで咲くべき」と詠んだ結句《けっく》を光広の子孫・烏丸光《みつ》胤《たね》が「みゆべき」と添削したのだといいます。烏丸家と縁の深い和歌といえましょう。

（吉田弥生）

72

ただひとへ小枝《さえだ》の霜と降り初《そ》めて なびくもあかぬ雪の村竹

塙《はなわ》保《ほ》己《き》一《いち》

一重だけ小枝の霜のように降り積もりはじめ、やがて重みでなびく様子も見飽きることがない、雪の日の叢竹よ。

（『松山集《しょうざん》』下・冬）

江戸後期の国学者・塙保己一は小野篁《たかむら》の末裔と伝わる武蔵国の農家に生まれました。七歳の時に失明し、一五歳から江戸へ出て鍼《はり》医術と音曲《おんぎょく》の盲人修行をし、やがて賀茂真淵《かものまぶち》の門を叩いて国学を修養、検校となった天明三年（一七八三）、日野資枝（71番）に入門して和歌を学びました。

国学者・保己一の代表的な功績は、幕府の後援と公家や寺院の協力のもと、古代から江戸初期の未刊文献を収集した一大叢書『群書類従《ぐんしょるいじゅう》』（文政二年〈一八一九〉）および『続群書類従』（明治四四年〈一九一一〉）を編纂・刊行したことです。

家集『松山集』に収まるこの歌には「竹間雪」の題が記されています。うっすらと降り始めた雪が、やがてその重みで枝がしなるまでの竹叢《たけむら》の変化を繊細に綴るような歌いぶりです。

（吉田弥生）

国学

国学とは、日本の古典文学を研究し、日本の古代以来の言語・文化・精神を明らかにしようとする学問のことです。江戸時代中期に隆盛しました。

和歌を対象とする国学の祖は契沖《けいちゅう》で、実証主義に基づく文献学的な古典研究を提唱しました。水戸光圀《みとみつくに》の依頼を受けて、『萬葉集』の注釈書『萬葉代匠記《だいしょうき》』を執筆したのをはじめ、『古今余材抄《こきんよざいしょう》』（『古今和歌集』の注釈書）『勢語臆断《ぜいごおくだん》』（『伊勢物語』の注釈書）『百人一首改観抄《かいかんしょう》』（『百人一首』の注釈書）など、多くの古典文学に注釈を施しました。また、定家仮名遣いを正し、契沖仮名遣いを唱え、後の歴史的仮名遣いとして採用されています。

『萬葉集』の研究に没頭した賀茂真淵《かものまぶち》は、『萬葉集考』を執筆し、歌論書『にひまなび』、歌書の注釈書『古今和歌集打聴《うちぎぎ》』『宇比麻奈備《うひまなび》』など、古典の注釈書も数多く執筆しています。契沖を受け継ぎ、本居宣長《もとおりのりなが》に大きな影響を与えた学者です。

真淵の『冠辞考《かんじこう》』（枕詞の辞書）を読んで感激した本居宣長は、松坂（宣長の住まいがあった地、現在の三重県松阪市）を旅行中だった真淵と面会し（世に言う「松坂の一夜」）、翌年入門しています。理想的な師弟関係の結び方です。一室で向き合ったときの宣長の感激を想像すると胸が震えます。その後、宣長は三〇数年をかけて『古事記』の注釈書『古事記伝』四四巻を書き上げ、古語の研究に基づいた本文校訂・訓読・語釈を施して、実証的な古典文学研究を構築します。

『古事記』以外に『源氏物語』や『新古今和歌集』をはじめとした和歌の研究にも力を入れ、『源氏物語玉の小櫛《おぐし》』『古今和歌集遠鏡《とおかがみ》』『美濃の家苞《いえづと》』など多数の書物を著しています。宣長の古典研究の根幹は、「もののあはれ」です。「もののあはれ」とは、対象への感動、共感と言いかえられます。この「もののあはれ」を表現したのが和歌や物語なので、それらを研究することが必要なのだと宣長は主張しているのです。

（谷　知子）

この世をばどりゃおいとまにせん香とともにつひには灰左様《はいさよう》なら

私は、この世を、どりゃ、おさらばしよう。線香とともに、しまいには体も灰になって、はい！ さようなら！

十返舎一九《じっぺんしゃいっく》

（『戯作《げさく》六家撰』）

『東海道中膝栗毛《とうかいどうちゅうひざくりげ》』の作者として知られる十返舎一九の辞世の歌と伝えられています。

「せん」は「しょう」という意味に「線（香）」を、「灰」は「はい！」と「灰」を掛けています。

十返舎一九は「死んだら火葬にしてほしい」という遺言を残し、その通りに火葬したところ、棺桶《かんおけ》からものすごい音がして、皆驚くのですが、生前彼が花火を仕掛けておいたのだというエピソードがあります。これは作り話のようですが、いかにもありそうに思えるような辞世の歌です。

一時代前の連歌師山崎宗鑑《やまさきそうかん》の辞世の歌も傑作です。

宗鑑はどちへと人の問ふならばちと用ありてあの世へと云へ

（『古今夷曲集《いきょくしゅう》』）

（宗鑑はどちらにいらっしゃったかと人が尋ねたら、ちょっと用があってあの世へ行きましたと言ってくれ）

（谷　知子）

辞世《じせい》の和歌

辞世とは、この世を去ること、死ぬことで、転じて死を前にして詠み遺《のこ》す詩歌、ことばなどを意味します。自分の人生や生死について、総括するような内容が特徴です。人は最期のときに何を思うのか、これは生きている者の最大の関心事です。

在原業平（16番）を主人公とした『伊勢物語』の最終話は、業平辞世の歌の章段とされています。

昔、男、わづらひて、心地死ぬべくおぼえければ
　つひに行く道とはかねて聞きしかど昨日今日とは思はざりしを　（『伊勢物語』一二五段）

（昔、男が病気になって、もはや死にそうに思われたので
　最後に誰もが行く道と前々から聞いていていたが、それがまさか昨日今日のこととは思いもしなかったよ）

けれん味たっぷりの歌を得意とする業平としては、素朴で軽やかかな、しみじみと味わい深い歌です。

辞世ということばが登場するのは、鎌倉時代中期頃からで、日々生死の境界を生きていた戦国武将たちはこぞって辞世の和歌を詠みました。秀吉の歌を紹介しましょう。

露と落ち露と消えにしわが身かな浪速《なにわ》の事も夢のまた夢　（「大阪城天守閣蔵自筆色紙」豊臣秀吉）

（露のように落ち、露のように消えてゆく私だよ。浪速の地で天下を取った事も全て、夢のまた夢のようなものだった）

「浪速の事」は、大坂《おおざか》で天下を取った偉業を指します。自分の命を「露」に、人生を「夢」にたとえるのは、辞世の常套的な詠み方です。

近代歌人の歌も一首引いておきましょう。

をみなにてまたも来《こ》む世ぞ生まれまし花もなつかし月もなつかし　（『明星』明治三九年一月・山川登美子《とみこ》）

（もし来世があるならば、再び女として生まれ変わりたい。そして、大好きな桜も見たいし、月ももう一度見たい）

三〇歳の若さで他界した歌人です。辞世という意識はなかったかもしれませんが、病床で死を予感しながら詠んだ歌です。出家しながらも、桜と月への執着を捨てることなく愛しつづけた西行（46番）を思い出すような一首ですね。花と月を見られる生の喜びを、この歌は改めて私たちに教えてくれます。　（谷　知子）

74

霞立つ長き春日《はるひ》を子どもらと手まりつきつつこの日暮らしつ

良寛《りょうかん》

霞が立つ長い春の日に子ども達と
手まりをつきながら、今日のこの日を暮らしたのだった。

（『はちすの露』一〇）

良寛は、宝暦《ほうれき》八年（一七五八）越後《えちご》国の出雲崎《いずもざき》の名主《みょうしゅ》山本家の長男に生まれますが、二二歳で突然出家します。その後、生涯和歌や詩・書を愛し、多くの作品を残しています。

良寛と言えば手まりというイメージは、この歌に由来しています。とてもわかりやすく、平易な歌です。しかし、この歌の「霞立つ長き春日」「この日暮らしつ」は、『萬葉集』に先例があります。新しいのは、「手まりつきつつ」ですが、これも良寛と同時代の歌人には用例があります。さらりと詠んでいるように見えて、良寛は吟味してことばを選び、自己演出していると思うのです。

この歌のテーマは、遊ぶ子どもではなく、子どもと無心に遊び暮らす清らかな私です。実生活に即した歌というだけでなく、自我に対する強烈な意識という点で、近代短歌のさきがけと言えるでしょう。

（谷　知子）

良寛

75

春の日の長くもかけて見つるかな
わが転寝《うたたね》の夢のうきはし

香川景樹《かがわかげき》

春の日が長いように、私はうたた寝の間に長い夢の浮橋をかけて見たことだ。

（『桂園一枝《けいえんいっし》』四七六）

近世後期歌壇をリードした香川景樹の一門は「桂園派」と称しました。この歌は文化一二年正月二二日の歌会で詠まれた三十首のうちの一首でした。

「春の日の」は「長く」に掛かる枕詞で、春の日の長さを意味します。二句目「かけて」は結句「うきはし」の「橋」の縁語です。

「夢のうきはし（浮橋）」は『源氏物語』五四帖の最終巻の巻名で知られています。物語中に「浮橋」そのものは登場せず、水に浮かぶ橋で儚い男女の仲を表現している、などと考えられてきました。さらに有名な修辞としたのは藤原定家（56番）です。「春の夜の夢の浮橋とだえして峰に別るる横雲の空（春の夜に見た夢が儚く覚めてみると、山際から雲が横へ離れていく明け方の空であることよ）」（『新古今和歌集』春上・三八）は、やはり男女の後朝の別れを連想させます。

（吉田弥生）

76

うれしきにうきに心のくだかれて
恋こそ人の老となりけれ

千種有功《ちぐさありこと》

うれしい時に、また辛い時に心が様々にくだかれて、（月ではなく）恋こそが人を老いさせるものだった。

（『千々廼舎集《ちぢのやしゅう》』三二一）

月を見ることが重なると人を老いさせる、という古くからの観念があるところへ、本当には恋こそが、その一喜一憂に心をくだかれて人を老いさせる原因なのだ、という現実味で詠むところに新しさが感じられます。

（吉田弥生）

千種有功は公家《くげ》歌人でありながら京の地下《じげ》歌人たちと積極的に関わり、堂上《とうしょう》和歌の伝統性から脱した、自在な歌風で知られています。『千々廼舎集』は有功の家集です。

この歌は在原業平の「大方は月をもめでじこれぞこの積れば人の老となるもの（世の中の大概の人は月を愛でるが、私は月を愛でる気がしない、月は積もれば老いさせるものだから）」（『古今和歌集』雑上・八七九）に拠っています。『伊勢物語』八八段に同じ歌が登場します。

77

菊の花咲きいでぬらむ故郷のまがきの色を誰に問はまし

佐久間象山《さくましょうざん》

今頃菊の花が咲きだしていることだろう。故郷の垣根の色を誰に尋ねたらよいのだろう。

（『（増訂）象山全集』）

象山は、文化八年（一八一一）信濃国松代《しなののくにまつしろ》（長野市松代町）に生まれた幕末の思想家です。江戸で塾を開き、門下生には勝海舟《かつかいしゅう》・吉田松陰《よしだしょういん》らがいます。西洋の学問、海外視察の必要性を主張し、安政元年（一八五四）四月には吉田松陰の海外密航計画に関与したとして、九月二九日まで伝馬町《でんまちょう》の獄に入れられます。

この歌は、詞書に「ひとや（獄）につながれて九月九日に逢ひければ」とあり、投獄中に詠まれたものです。九月九日は重陽《ちょうよう》の節句。菊の節句とも呼び、長寿を願う日です。投獄されて、明日の命もわからない象山にとって、脳裏に浮かぶ菊の花はどんなにか美しかったでしょう。

この後、象山は松代で謹慎を命じられましたが、幕府の命を受けて上洛したところ、元治元年（一八六四）七月一一日暗殺され、激動の生涯を閉じています。

（谷　知子）

78

嵐山夕べ寂しく鳴る鐘に
こぼれそめてし木々の紅葉《こうよう》

嵐山で日暮れごろにひっそりと鳴る鐘に、
溢れて染まり、散り始めた木々の紅葉。

坂本龍馬

この歌の詞書には「秋の暮れ」とあります。紅葉が散り始める秋の季節であること、龍馬の書簡資料から慶応元年九月（旧暦・晩秋）頃の在京時に詠作されたものと考証されています。

紅葉の名所として有名な「嵐山」は山城国の名所歌枕です。「寂しく」は形容詞「さびし」の連用形でひっそりとした様子。「こぼれそめ」は「こぼる」の連用形と色づく意味の「染め」と補助動詞「初め」が組み合わされて「～し始める」意味をなす掛詞です。それへ完了「つ」の連用形と過去「き」の連体形である「てし」がついています。

古典文学における紅涙《こうるい》（涙のために木々が紅葉する）あるいは降雨や霧を落涙にかさね見立てるという観念を取り入れた可能性もありますが、嵐山近くの寺院から聞こえる鐘の音を聞いた龍馬は秋のさびしさに感傷的な涙を誘われたのではないでしょうか。

（吉田弥生）

坂本龍馬

幕末志士と和歌

「幕末」とは江戸時代の末期、つまり徳川幕府が治世した時代の末期を特に指す称です。江戸から明治へと移る頃、日本は大きく変わろうとする岐路に立たされました。まず、長崎出島でオランダと交流する以外は鎖国の外交政策をとっていましたが、ペリー提督率いる軍艦四艘が来航しました。有名な「黒船来航《くろふねらいこう》」です。欧米列強がアヘン戦争で勝利し、中国を植民地化してアジア進出を進めると、アメリカは食糧供給などで日本を利用したいと協力を求めたためでした。諸外国に対応する術のない徳川幕府は信用を落とし、将軍・徳川慶喜は政治権力を朝廷に帰すべく「大政奉還《たいせいほうかん》」する事態となりました。朝廷はこれを受けて薩摩藩などと協力して「王政復古《おうせいふっこ》の大号令《だいごうれい》」を発表、明治政府が誕生しました。

「幕末の志士」と呼ばれた人々といえば、蘭学を修めて西欧列強への対処術を早くから思索し、スムーズな政権交代を計った幕臣・勝海舟《かつかいしゅう》や薩摩藩のリーダーとして討幕の急先鋒となった西郷隆盛《さいごうたかもり》、長州藩の剣豪・桂小五郎《かつらこごろう》（のちの木戸孝允《きどたかよし》）、奇兵隊《きへいたい》を結成して軍事クーデターを起こした高杉晋作、攘夷・討幕・開国それぞれの立場の違いを超えて交流し、柔軟な思考で明治維新に貢献した土佐藩の坂本龍馬《さかもとりょうま》たちが思い浮かぶでしょう。

激動の時代に奔走《ほんそう》していた幕末志士たちが、その一方で優れた歌人だったというのは意外に感じられるかもしれません。志士たちの多くは、漢詩・漢学の素養を持ちつつも、私的な性格の和歌を詠むことに意味を見出していたとも考えられ、また、日本が新しい「国家」に変容する時に、天皇を中心に公家・武家が支えた中世的な国の在り方を再発見し、それへの連続的な復古の思想が表れたために和歌を詠んだとも推《すい》されます。

なかでも縦横無尽《じゅうおうむじん》の活躍をして英雄視される坂本龍馬と、かの伊藤博文に「動けば雷電の如く発すれば風雨の如し」と称された実現実行タイプの高杉晋作といった「インパクト強め」で破天荒な生き方をした幕末志士に優れた和歌が多く詠まれたのも興味深いところです。

遠い未来や広い世界を見据え、夢想を命がけで実現化していった彼らの発想の力を養い、人生訓を文字化し、また心に抱く真実の思いを吐露する格好の手段が和歌だったのではないかと思います。（吉田弥生）

79

面白きこともなき世を面白く
住みなすものは心なりけり

面白いことのない世の中を、面白くすることができるのは自分の心持ちである。

東行《とうぎょう》（高杉晋作）

（『高杉晋作略伝―入築始末―』）

「東行」こと高杉晋作の辞世といわれています。晋作は吉田松陰のもとに学び、幕末の志士として長州奇兵隊結成や功山寺《こうざんじ》決起などの難局で活躍しましたが、幕長戦争の最中に結核を病みます。下関に療養するも慶応三年（一八六七）に亡くなりました。この歌は、実は晋作を看病していた尊皇派の女傑歌人・野村望東尼《ぼうとうに》が病床で晋作が詠んだ上の句へ「住みなすものは心なりけり」の下の句を添えた合作なのです。

この歌は下関に建立された東行庵境内にある歌碑の正面に刻まれています。歌碑の左面には「西へ行く人を慕ひて東行くわが心をば神や知るらむ（西行法師を慕って東へ行く自分の思いは、神しか知らない）」がありますが、晋作は慕っていた西行法師にちなんで「東行」の名をつけたといいます。

面白くない世の中も自分次第。新しい発想と行動力に優れた晋作の名言が今に響きます。

（吉田弥生）

80

身のうさは人しも告げじあふ坂の夕づけ鳥よ秋も暮れぬと

宮木《みやぎ》

この私の悲しみは誰も告げてくれるものはあるまいが、逢坂の夕告鳥よ、秋も暮れたと鳴いておくれ。

(『雨月物語』巻二「浅茅が宿」)

この歌を詠んだ宮木は歌人ではありません。『雨月物語』巻二「浅茅が宿」の女性主人公です。下総国の真間《まま》の里（千葉県市川市）に夫と暮らしていた、美しく貞淑な女性として物語に登場します。夫の勝四郎は農家の仕事を嫌い、京へ上って商人になることを望んで「この秋には帰る」と約束して旅立ちました。まもなく関東に戦火が広がり、里の人々は逃げ散りましたが、夫の言葉を信じる宮木は心細くも頑なに家に残って夫の帰りを待ちます。ところが、約束の秋になっても夫は帰ってこないのでした。

「人しも告げじ」は自分以外の誰にも告げるものではない、という意味です。「逢ふ」「告ぐ」の名をもつ逢坂《おうさか》の夕告鳥に約束の時は過ぎたことを伝えてほしいという心中がにじみ出ています。思うとおりにならない現実と戦乱の関八《かんはっ》州《しゅう》に対する宮木の徒労の心が吐露された歌です。

(吉田弥生)

雨月物語

『雨月物語』は上田秋成によって著され、安永五年（一七七六）に刊行されました。五巻五冊で九話を収めた短編集です。近世文学では読本（よみほん）というジャンルに位置づけられます。「江戸時代の怪異小説」という性格で知られていますが、最大の特色といえるのは翻案小説という性格です。

翻案というのは、小説や戯曲の手法で、原作の筋や内容をもとに作り変えることです。『雨月物語』の場合には、和漢の古典が典拠となり、それらをふまえつつ、故事や古語、和訓をほどこした漢語が混淆となって、幻想性に富む世界観が流麗な文体で綴られ、描かれている点が評価されてきました。刊行当時の読者たちは、古典の教養を大いにくすぐられる喜びをもって享受したことが想像されます。『雨月物語』はいわばインテリ層にむけて書かれた主知主義の文学です。そして、近現代における研究では、その典拠を解き明かすことに注力されてきました。

では、どのような古典が典拠となったかといえば、漢籍ならば『警世通言《けいせいつうげん》』『剪灯新話《せんとうしんわ》』などの白話小説類、日本の古典では『萬葉集』『山家集』などの歌集や『保元物語』『太平記』などの軍記、『今昔物語集』『宇治拾遺物語』などの説話を下敷きにしていることが明らかになっています。なかでも和歌はそのまま引用することも珍しくなく、読者へダイレクトに典拠を知らせようとする秋成の意図を考えさせられるのです。

くるしくも　ふりくる雨か　三輪が崎　佐野のわたりに　家もあらなくに　（巻四「蛇性の婬」）

雨に降られた豊雄と真女児《まなご》が出会う場面で『萬葉集』（巻三・二六五）の長忌寸奥麻呂《ながのいきのおきまろ》（意吉麻呂）の歌に拠って「辛いことに雨が降ってきた。この三輪が崎の佐野の渡しには（愛しい妹の）家もない（雨宿りもできない）のに」と三輪崎西南の佐野を紹介するために引用されています。

浜千鳥　跡はみやこに　かよへども　身は松山に　音をのみぞ鳴く　（巻一「白峯」）

この歌は『保元物語』巻三「新院御経沈めの事　付けたり崩御のこと」にある和歌がそのまま用いられています。悲痛な望郷の思いが和歌に託されることで、亡霊崇徳の言葉というより、そこに在る人間の思いとして迫真力をもって表現されます。（吉田弥生）

近現代——明治維新から今日まで

81

天地《あめつち》を籠《こ》めたる霧の白濁《はくだく》の中に一點《いってん》赤き唇

森鷗外

（「舞扇」）

この短歌は「舞扇」としてまとめられた二四首のうちの一首で、初出は『明星』です。

神秘的・幻想的かつ大胆でモダンな作品で、すべてが白く深い霧の中に包まれているその中から鮮やかに立ち現れる美しい女《ひと》（ファム・ファタール＝宿命の女）、そしてその赤い唇という、ロマン主義のキーワードが全て盛り込まれたような内容の、まさに『明星』にふさわしい短歌となっています。

森鷗外は短歌のことを「三十一字詩」と呼んでいましたが、生涯、短詩型文学を手放すことなく詩・短歌を作り続けました。平野萬里《ひらのばんり》（「明治の歌」『新小説』一九二六年〈大正一五〉）が「先生は万葉集を精読せられ、古調に依るべくば万葉に依るべし、新調に依るべくば、明星の為す如くすべしとして」作歌していたことを伝えています。一方鷗外の短歌には「古今調」と「明星調」の二歌風ある（平山城児『現代文学における古典の受容』有精堂、一九九二年〈平成四〉）と指摘されていることも見逃せません。

こうした多面性は後に一九〇七年（明治四〇）三月から森鷗外が主宰した観潮楼《かんちょうろう》歌会《かかい》の目的にも通じるものです。観潮楼とは、本郷駒込千駄木町（現・文京区千駄木）にあった鷗外自邸のこと。正岡子規《まさおかしき》の「根岸」派歌壇と与謝野鉄幹の「新詩社」系との対立を見かねた鷗外が両派の歩み寄りを目指し、自宅二階を開放し観潮楼歌会を主催します。鷗外は「『アララギ』と『明星』の二つを接近せしめ、さらに新詩社とアララギ派とに通じて国風新興を夢見た」と述べているのですが、これはドイツ経由でフランスの自然主義文学を紹介した鷗外が、自然主義の「ありのままを写す」姿勢に飽き足らず、坪内逍遥《つぼうちしょうよう》との「没理想論争」に顕著なように、生涯ロマン主義の態度を持ち続けたことを想起させます。創立当初のメンバーは、新詩社代表・与謝野鉄幹、アララギ派代表・伊藤左千夫、そして佐佐木信綱と鷗外の四人。歌会は月一回、第一土曜日。一九一〇年（明治四三）六月まで続いたとされています。さらに「新詩社」系の与謝野晶子、北原白秋、吉井勇、石川啄木、木下杢太郎《もくたろう》、「根岸」派の斎藤茂吉・古泉千樫《こいずみちかし》らの新進歌人・詩人が加わっていきます。観潮楼跡には、現在、文京区立森鷗外記念館が建てられ、黒御影の詩碑が一つ。鷗外三十三回忌に永井荷風が選んだのは「褐色《かちいろ》の根府川石に　白き花はたと落ちたり　ありとしも青葉がくれに見えざりし　さらの木の花」（「沙羅《さら》の木」）という詩でした。ドイツ三部作の一節でもなく、歴史小説・史伝の一節でもなく、この詩一つを選んだ永井荷風の見識は、まさに森鷗外の真髄を見事に示していると言えるでしょう。（佐藤裕子）

82

赤き烟《けむり》黒き烟の二柱《ふたはしら》真直《まっすぐ》に立つ秋の大空

夏目漱石

（『漱石全集』第十七巻）

夏目漱石は、熊本第五高等学校に勤務していた一八九九年（明治三二）八月二九日から九月二日まで、東京帝国大学時代からの友人で、同僚の山川信次郎と共に阿蘇登山を計画し旅に出かけます。この短歌は、その際に詠まれたものです。漱石は、東大予備門の同窓で、友人である正岡子規の影響で、その生涯で二五六〇の俳句を残しており、句碑も多いのですが、短歌は一〇首しか残していません。その数少ない短歌の一つが、この阿蘇登山の体験から生まれた歌です。この短歌の中で漱石は「赤い烟」「黒い烟」を「二柱」と表現していますが、「柱」というのは神・位牌・遺体・遺骨を数える時に使う言葉でもありますから、漱石の目には、阿蘇の火口から立ちぼる煙が神様の姿のように見えていたとも考えられます。「火の柱」「雲の柱」は、『旧約聖書』「出エジプト記」にも登場する言葉で、モーセがイスラエルの人々をエジプトから導き出す苦難の旅の中で、神が昼は「雲の柱」、夜は「火の柱」となって、モーセとイスラエルの民を守り導いたという記述があります。漱石は英文学者ですので、英文学のみならず、西洋文学の根底にあるキリスト教の思想と『聖書』にも精通していました。阿蘇山の火口から立ち上る「赤い烟」「黒い烟」が、「赤い火の柱」、「黒い雲の柱」に見えていたのかもしれません。漱石の歌碑は珍しいのですが、阿蘇山の坊中口登山道の中ほどにこの歌の歌碑が残されています。

　この阿蘇登山の旅に際しても、漱石は戸下《こした》温泉で八句、内牧《うちまき》温泉（現・阿蘇温泉）で一五句、阿蘇神社で三句、立野《たての》で一句という具合に、旅の様々な場面を俳句に詠んでいます。八月三一日の早朝、阿蘇神社に詣で、明行《みょうぎょう》寺《じ》を経て、中岳の三合目付近まで登ったとされているのですが、あいにくの二百十日の雨と風で道に迷い、「阿蘇の火口を覗く」という旅の目的は達せられず、千里ヶ浜（草千里）に出てしまいます。この時の〈道に迷う〉経験が、後に一九〇六年（明治三九）一〇月『中央公論』に発表された作品「二百十日」にそのまま採り入れられているのです。

　「二百十日」は全編に亘《わた》って圭さんと碌さんという二人の男性の会話によって成立しているのですが、漱石は男性二人が山登りをするシーンを『虞美人草』という作品にも描いています。『虞美人草』に描かれた比叡登山も、「二百十日」と同様に道に迷い、見るべき名所も見ずに下山していました。慷慨家《こうがいか》・圭さんの社会批判が逼《せま》らないものとなっているのは、自らの企図した阿蘇登山の最中に道に迷い、一面の草原の中の穴に落ち込むことで相対化されている訳です。このユーモアに満ちたアイロニーは、「野分」の白井道也の最後の演説に繋がっていきます。

（佐藤裕子）

近代短歌の挑発者・正岡子規「歌よみに与ふる書」

この本では、古典和歌のうち、五・七・五・七・七の音律を基本にして作られた「短歌」と、近代に入ってからその短歌形式に新しい意味と内容を盛り込んで発達した近現代の「短歌」を、一つながりのものとして扱っていますが、文学の歴史をたどってみると、古典和歌の形式の一つとしての「短歌」が近現代の「短歌」に生まれ変わるためには、やはり大きな考え方の変革が行われなければなりませんでした。明治時代の歌人、文学者たちの間で「短歌革新」と呼ばれるようなさまざまな試みが提唱され、行われましたが、その中でも発表当時から反響を呼び、後世に大きな影響を与えたのが、一八九八年（明治三一）に正岡子規の発表した「歌よみに与ふる書」でした。

仰《おおせ》の如く近来和歌は一向に振ひ不申候《もうさず》。

と書き出されるこの評論は、古典和歌を継承して伝統的な短歌観の下で「和歌」の不振を憂いている架空の歌人に宛てて書かれた手紙の形式をとっています。

貫之《つらゆき》は下手な歌よみにて『古今集』はくだらぬ集に有之候。

最初の「勅撰和歌集」として、その後の和歌文学の方向性を決定した『古今和歌集』、その主要な撰者である紀貫之を全面否定するところから、子規の論は始まります。『古今和歌集』の特色を「駄洒落」と「理屈」と言い捨て、取得《とりえ》があるとすれば「つまらぬ歌ながら萬葉以外に一風を成したる処」として、それ以後の歌人についても、藤原定家や香川景樹らをやり玉にあげて批判的な言説を繰り広げていきます。

子規はそれまでにも古典文学の「俳諧」の革新を志して近代的な「俳句」を立ち上げるために尽力してきました。彼の目指すところは「和歌」の革新であり、そのためにこのような一面的で過激とも受け取られるような表現で、当時の歌壇を挑発したのです。

愚考は古人のいふた通りに言はんとするにてもなく、しきたりに倣《なら》はんとするにてもなく、ただ自己が美と感じたる趣味をなるべく善く分るやうに現すが本来の主意に御座候。

因習から切り離されたところで、新しい時代の「短歌」を創造しようというこの意欲こそ、その後の近現代短歌の出発点となったのでした。

（島村　輝）

文豪の短歌─観潮楼《かんちょうろう》歌会《かかい》のその後

根岸短歌会を主催した正岡子規の『墨汁一滴』（一九〇一年〈明治三四〉）に「鉄幹《てっかん》子規《しき》不可《ふか》並称《へいしょう》の説」があります。「鉄幹と子規とは並称すべきものではない」とする過激な与謝野鉄幹（新詩社、『明星』）批判です。両者共に伝統に縛られた旧弊な和歌の世界を打ち破り、新しい短歌の時代の創設を目指しながら、写生・写実と象徴的抒情性という表現方法の違いによって決裂したのでした。子規没後も両派の対立は続き、これを見かねた森鷗外が両者の融合を目指して観潮楼歌会を主催したのが一九〇七年（明治四〇）のこと。

その正岡子規の一首。「松の葉の葉毎に結ぶ白露の置きてはこぼれこぼれては落つ」（『竹の里歌』）。上の句はまさに俳句で、松の葉に結ぶ白い露を瞬間的に切り取り、下の句でその露に動きを出す見事な写実です。観潮楼歌会には、北海道から上京したばかりの石川啄木も参加していました。啄木から二首。「いのちなき砂のかなしさよさらさらと握れば指のあひだより落つ」「やはらかに積れる雪に熱《ほ》てる頬を埋むるごとき恋してみたし」（『一握の砂』）。もう一人、観潮楼歌会に参加していた新詩社系詩人北原白秋の短歌。「風無くて匂やかなる夕じめり合歓の花ぞほの紅く顫《た》つ」（「椽」）。さらに「鷗外先生の庭」と題する連作から一首。「夕近し沙羅の木かげに水うてと先生呼ばす馬を下りつつ」。宮内省帝室博物館総長兼図書頭《ずしょのかみ》森鷗外（林太郎）は、馬で出仕していました。ロマン主義の香り高い一首目の歌と、鷗外の声が今にも聞こえてきそうな二首目の歌と、白秋は両派の対立を超えて、自在にロマン主義と写実主義の表現の垣根を越えて見せたといえるでしょう。

最後に鷗外の歌や俳句（十七字詩）を批判した芥川龍之介の短歌二首。「五月来ぬわすれな草もわが恋も今しほのかににほひいづるらむ」「恋すればうら若ければかばかりに薔薇《そうび》の香にも涙するらむ」（『芥川龍之介全集』第九巻、岩波書店）。後に小島政二郎から鷗外批判について「苛酷じゃないか」と問われた時に「あらゆる点で偉くて、非人間的な偉さまであって、とても僕なんか敵《かな》はないからだよ」と答えたといいます。強気の芥川の初々しい短歌です。

（佐藤裕子）

83

美しきちからをもちてひきつくる歌劇のとばりに
ひと吸はれゆく

矢澤孝子《やざわたかこ》

（『宝塚叢書第三編・湯気のかく絵』）

宝塚歌劇団の前名「宝塚少女歌劇団」時代に発行された『歌劇』第二号（一九一八年〈大正七〉）のトップページに掲載された和歌です。のちに宝塚少女歌劇団出版部より刊行の矢澤孝子著『宝塚叢書第三編・湯気のかく絵』（一九二三年〈大正一二〉）に収載されました。

「とばり」は室内における外部との仕切りに用いる垂れ布の「帳・帷」の意味で舞台の幕を示すかもしれませんが、ここは「夜のとばり」と用いるように闇と関連して、よく先が見えない不思議さなどを表す意味として「ひと吸はれゆく」につながるとみれば、「美しい力をもって惹きつける、歌劇の魅惑の宇宙に人は引き寄せられていく」と解釈できましょう。

なお、初出『歌劇』第二号の巻頭には、この歌を含め一〇首の短歌が「広きゆぶね」と題されて掲載されています。このほか「美《くは》し女《め》の歌舞に酔ひつつかへり路の橋の上こそ瞳《め》にすがしけれ」のように、観劇の帰り道の心境を詠んだものや「おぼろかに湯気のこもらひいつくしきひろき湯ぶねに身をひたしけり」のように、温泉が湧く「湯の町」としての宝塚に滞在した際の旅情を詠んだものがあります。

矢澤孝子は明治四〇年代から戦後まで活躍した大阪歌壇の代表的女流歌人です。「関西の与謝野晶子」「大阪歌壇の女王」と称され、一九一〇年（明治四三）に刊行した第一歌集『鶏冠《かへ》木《で》』は愛欲表現を理由に女流歌集初の発禁本となっています。当時、時代の最先端を行く発展的な女性、いわゆる代表的なモダン・ガールだったのでしょう。

『歌劇』誌にはこの歌が掲載された第二号より巻頭に宝塚少女歌劇や温泉街を詠んだ短歌を連載しました。歌集として歌劇団が刊行した『湯気のかく絵』の冒頭で、矢澤孝子は小林一三《いちぞう》が設立した宝塚少女歌劇団から連載を依頼された折の心境などを次のように語っています。

雑誌『歌劇』から、宝塚に関する歌を送れと度々申越される時いつも私は困りました。（中略）今度それらの歌を纏《まと》めて一巻の集にせらるゝと聞き、少なからず私は驚きました。丁度放心してゐる姿をだしぬけに写真にでも採《(ママ)》られたやうな心持です。

先見の明がある小林一三のこと、女性だけの歌劇団で創刊した雑誌の巻頭を、新しい感性を持った女流歌人の短歌で飾りたいという熱意によって是が非でもと依頼したことが想像されます。「困り」「驚き」ながらも歌集が編まれるほどの短歌を宝塚歌劇のために詠み捧げたのです。

（吉田弥生）

宝塚

宝塚と和歌。現代の上演を観劇したことがあれば、意外な組合せと思われるでしょうか。ところが、大変に深い関わりを持っていたのです。

歌劇団生徒の芸名は、かつて『百人一首』からつけられていました。「宝塚少女歌劇団」創立以来一九二二年(大正一一)の一一期生までは生徒全員でしたが、ネタも尽きたのか昭和初期には『百人一首』の由来でない芸名が多くなりました。最も多くの芸名を生んだとされるのは、七八番「淡路島かよふ千鳥の鳴く声にいくよ寝覚めぬ須磨の関守」で、「関守須磨子」「淡島千景」「須磨幾子」「千鳥関子」などの名前を誕生させています。

また、宝塚創立まもなくの一九一八年(大正七)八月に創刊し、現在まで発刊されている『歌劇』誌の巻頭に第二号から連載で和歌が載りました。そのほとんどは「大阪歌壇の女王」と称された矢澤孝子のものです。本拠地宝塚に大劇場が開場した際の第四号には「新舞台」と題し、「その身より春のひかりをはなつごとをとめは舞はむにひの舞台に」のように歌劇団の生徒を讃える短歌を掲載しています。人気絶頂だった第一期生の雲井浪子が脚本・演出家の坪内士行(坪内逍遥の甥、のち早稲田大学教授)と電撃的に結婚退団した際には「とつぎしときくに浪子が舞ひすがたなほけざやかに瞳《め》にみゆるなり」と祝福らしい歌を載せています。巻頭短歌が宝塚歌劇で起こるニュースを伝える記録的な位置づけだったともいえましょう。

巻頭以外にも大正期の『歌劇』誌には和歌があちらこちらに見出されます。読者投稿欄があり、特定の歌劇団生徒へのファンレター的なものや、若くして亡くなった生徒への追悼などが詠まれていました。そうして第一四号には見開きで投稿らしい和歌が沢山載ったかと思えば、第一五号から「詩壇」頁ができ、巻頭も近代詩に変わりました。一九二一年(大正一〇)くらいがその境目です。宝塚歌劇団が文芸の流行を早々とキャッチし、俊敏に切り替わる態度には、一〇〇年以上の歴史を刻んだ現在、商業演劇において大きな存在感を持つ劇団に発展した素質を感じるところです。

(吉田弥生)

84

文五郎がてにささへられ静御前われを見つめて訴《うった》へ泣き入る

窪田空穂《くぼたうつぼ》

（『卓上の灯』）

窪田空穂ははじめ『明星』に加わり作歌を始めました。文筆生活の中で小説、随筆なども書き、さらに国文学研究への関心を深めて、後に早稲田大学の教授となります。ロマンティックな作風からやがて身辺の出来事を詠う作風へと変化していきました。

　この歌は一九四九年（昭和二四）、帝国劇場で興行中の文楽公演を観に行った折に詠まれた歌です。空穂は知人の紹介で楽屋を訪ね、目の前で名人と呼ばれた人形遣い・吉田文五郎が遣う静御前の人形の姿を見たのです。静御前は人形浄瑠璃『義経千本桜《よしつねせんぼんざくら》』に登場する、源義経と相愛の女性で、二段目「伏見稲荷の場」で義経がやむなく旅立つ折には、感情も露わに別れを惜しみます。

　文五郎の手に操《あやつ》られて、静御前の人形にあたかも魂が吹き込まれたように、その人形が自分を見つめて、訴えつつ泣く、その声まで聴こえるように空穂には感じられたのです。

（島村　輝）

85

みだれ髪を京の島田にかへし朝ふしていませの君ゆりおこす

与謝野晶子

（『みだれ髪』）

一九〇一年（明治三四）八月に刊行された『みだれ髪』の中の一首。『みだれ髪』は、晶子が雑誌『明星』に投稿した作品を、後に夫となる与謝野鉄幹が編集したもので、ハートを矢が射貫く表紙装丁デザインは藤島武二《ふじしまたけじ》が担当しました。この短歌、一夜を共にした男女の翌朝の情景を描いていますが、気になるのが「島田」という髪型です。「島田」は主に未婚の女性や花嫁が結う日本髪の代表的な髪型です。つまりここに描かれた男女は、少なくとも結婚している夫婦ではない、ということが明らかになるからです。既にこの段階で、この短歌が表現する世界が当時の道徳観から見てかなりセンセーショナルな内容であることが理解できます。『みだれ髪』刊行直後の一〇月一日、作者・鳳《ほう》晶子は、与謝野鉄幹と結婚し、与謝野晶子となります。この現実の出来事と、歌集『みだれ髪』の中の晶子の表現とを重ねて、佐佐木信綱は「娼妓夜鷹の口にすべき乱倫を吐きて淫を勧めんとす」「猥行醜態を記したる所多し人心に害あり世教に毒あるもの」（『心の花』一九〇一年九月）として徹底的に非難しました。しかし『古今和歌集』をはじめとする古典和歌の世界でも、道ならぬ恋や、後朝の別れを詠《うた》う短歌は沢山あります。では、何故これ程までに強い反発を招いたのでしょうか。それは何を詠うかではなく、それをどのように表現するのか、伝統的な短歌の様々な技法に頼らず、また本歌取り等の模倣でもなく、自らの思いを飾らずにストレートに表現していることが、当時の旧派和歌歌壇から見て、許しがたい暴挙だったのでしょう。一方、上田敏は『みだれ髪』について「詩壇革新の先駆として、又女性の作として、歓迎すべき価値多し」（『明星』一九〇一年一〇月）として、高く評価しました。晶子の表現の自由は、女性としてどのように生きるか、自らの妊娠・出産にも及んで「悪龍となりて苦み猪《い》となりて啼かずば人の生み難きかな」（一九一一年二月）という短歌や、同年九月には雑誌『青鞜《せいとう》』創刊号に「山の動く日きたる、（中略）すべて眠りし女、今ぞ目覚めて動くなる」という詩も寄稿しています。また晶子は与謝野家の家計を支えていました。女性の経済的自立を既に成し遂げていたということでもあります。題詠や古今調に囚われない自由短歌の世界のみならず、旧時代の慣習に囚われない晶子の生き方は、まさに『みだれ髪』を起点として形成されたと言っても過言ではないでしょう。

（佐藤裕子）

86

君と見て一期《いちご》の別れする時もダリヤは紅《あか》しダリヤは紅《あか》し

北原白秋

（『桐の花』）

一度も世間的な職業に就《つ》かず、五七歳で亡くなるまで短歌、詩、童謡、小唄、新民謡、小説、俳句、評論、随筆など幅広く執筆活動を続け、それぞれの分野に人気と影響力を持った、近代の「ことば職人」元祖ともいうべき北原白秋ですが、短歌というジャンルは彼を論じるにあたってやはり特別の重要さを持っていることは間違いありません。短歌という一分野に限ってみても生涯にわたってその作風はさまざまに変わっていきましたが、第一歌集である『桐の花』は、それまで見られなかったような青春の倦怠感や、恋愛に伴う心のゆらめきなどを斬新な捉え方で表現し、短歌の世界に新風を吹き込む大きな波及力を持ちました。

『桐の花』では特に、そこに盛り込まれた「小道具」の多彩さが目を引きます。「ココア」「ミルク」「ジン」「ウイスキー」といった、当時の異国趣味を感じさせるような飲み物、「銀笛」「クラリネット」「トロンボーン」「ハモニカ」などの西洋楽器、さらに「ヒヤシンス」「あまりりす」

「薔薇」「ダリヤ」と、派手やかな花の姿も多く登場します。

掲出歌は『桐の花』の「哀傷篇　Ⅰ哀傷篇序歌」の「三　花園の別れ六首」一連の冒頭歌として登場します。以下次の五首が続きます。

君がため一期《いちご》の迷ひする時は身のゆき暮れて飛ぶここちする

哀《かな》しければ君をこよなく打擲《ちやうちやく》すあまりにダリヤ紅《あか》く恨めし

紅《くれなゐ》の天竺牡丹ぢつと見て懐妊《みごも》りたりと泣きてけらずや

身の上の一大事とはなりにけり紅《あか》きダリヤよ紅《あか》きダリヤよ

われら終《つひ》に紅《あか》きダリヤを喰ひつくす虫の群かと涙ながすも

ダリヤの花言葉は「優雅」「気品」「栄華」「気まぐれ」「裏切り」だとのことですが、この一連の描いている場面はそれぞれの意味を暗示しつつ、なかなかの過激ぶりを示しているといえるでしょう。恋人に面会して、これきりだと最後の別れを告げようとするけれども、自分自身の気持ちもはっきりと決断できない迷いがある。悲しさのあまり、別れを拒む恋人に暴力さえも揮うが、彼女から泣きながら妊娠を告げられて、その重大さにうろたえる。そして自分たちは結局のところ、ダリヤの華やかさ、優雅さを滅ぼしてしまう虫に過ぎないのかと、涙を流している、というのです。今日のジェンダー論的な批評の角度から考えれば、「何だ、この勘違いしたマッチョ男の無責任さは（怒）」と評されても仕方ないような一連の流れですが、そのような「男」の役割を演じながらも、そこに徹しきれない軟弱さ（それは「身勝手」そのものでもあるのですが）をあからさまに描き出しているところに、こうした歌が人気を博した理由の一つがあったのではないでしょうか。

（島村　輝）

87

沈黙のわれに見よとぞ百房の黒き葡萄に雨ふりそそぐ

齋藤茂吉

（『小園』）

> 僕の詩歌に対する眼は誰のお世話になつたのでもない。斎藤茂吉にあけて貰つたのである。（略）且又《かつまた》茂吉は詩歌に対する眼をあけてくれたばかりではない。あらゆる文芸上の形式美に対する眼をあける手伝ひもしてくれたのである。

これは芥川龍之介が一九二四年（大正一三）に発表した「僻見《へきけん》」という小文の中で、齋藤茂吉について触れた部分の一節です。芥川のような文学者がここまで絶賛するほど、齋藤茂吉が同時代の文学世界に対して与えた衝撃は大きいものでした。省略した部分で芥川が挙げているのは、茂吉の最初の歌集『赤光《しゃっこう》』（一九一三年〈大正二〉）ですが、この年には北原白秋の『桐の花』も刊行され、短歌の世界がそれまでとは一線を画し、より近代性の強い作品を含んで展開していく節目となった年といっていいでしょう。

その後茂吉は精神科医、病院長としての仕事と共に、『アララギ』派のリーダーとして、精力的に作家活動を続けます。その晩年、アジア太平洋戦争での日本の敗戦を受けて、失意のうちに詠まれたのが、掲出の一首です。

「沈黙している私に見よと言うかのように、百房にもおよぶたくさんの黒い葡萄に雨が降りそそいでいる」というほどの意味。「沈黙のわれ」という表現は、文法的には破格となりますが、ここでは是非を云々するまでもない説得力をもって読者に迫ってきます。「百房の黒き葡萄」は、文字通り百房あるということではなく、多数を象徴する数字として「百房」と使われています。その視覚的イメージの強烈さとともに「雨ふりそそぐ」には、内面に言いようのない不穏さを抱え、沈黙のまま佇《たたず》んでいるしかない作者にとっての、永遠に続くかと感じられるような時間の感覚も捉えられています。

アジア太平洋十五年戦争の当時、茂吉も多くの時局詠、戦争詠を作り、戦争を煽《あお》りたてたものと評価されるような結果を招きました。例えば、

『大東亜戦争』といふ日本語のひびき大きなるこの語感聴け　（「短歌拾遺」「萬軍」）

茂吉はこの歌に自註して、「これは改造社の雑誌『文藝』に載ったものである。予感はしていたものの、一億国民はをどり上がった。歌人もそれに漏れず歌も武装するに至った。」（「作歌四十年」）と記しています。日本の敗戦後、文学者の戦争責任を追及する声が上がり、自らもそうした責任を免れることは難しいと考えた茂吉は、戦争中に疎開した郷里にとどまって逼塞した生活を送っていました。「沈黙の我」とは、そうした境遇にあった彼の苦しい心中を表現したと、一般的には解釈されています。

こうした苦しい境遇と、自覚される老年の衰えの中でも、茂吉の果敢な創作意欲は衰えず、

最上川逆白波のたつまでにふぶくゆふべとなりにけるかも　（『白き山』）

のような絶唱を残しました。

（島村　輝）

88

幾山河《いくやまかわ》越えさり行かば寂《さび》しさの終《は》てなむ国ぞ今日も旅行く

若山牧水《わかやまぼくすい》

（『別離』）

若山牧水は宮崎県の山村に医師の長男として生まれ、中学時代から作歌に志すようになり、やがて早稲田大学に学ぶ中で北原白秋らと親交を結ぶようになっていきます。当初は自身の恋愛関係の悩みを扱ったロマンティックな作風でしたが、やがて精神内面の暗部を詠う重苦しい歌を多く作るようになりました。晩年には自然の姿と、そこから得た感覚を詠むことが多くなりました。恋、旅、酒、自然をうたった歌人として知られているわけですが、そこからもわかるように、日常的な現実に取材してありのままを詠むというのではなく、そこから想像力を広げ、響きがよく口ずさみやすい、のびのびとした歌が好まれているといえましょう。この歌もそうした音楽性に富んだ一首といえます。

「やまかわ」「さりゆかば」「さびしさ」「はてなむ」といった言葉にみられる「ア」音は、大らかでのびのびとした印象を醸し出しています。後半は「くにぞ」「きょうも」「ゆく」と「ウ」「オ」といった唇をすぼめて発する閉塞的で重々しい音が連なり、重厚感を与えることに成功しています。こうしたところに詩歌の音楽性といえるものが現れてくるのです。

旅、漂泊という点についていえば、この歌には上田敏《びん》の訳詩集『海潮音《かいちょうおん》』に収録されたカアル・ブッセの「山のあなた」という作品の影響が指摘されています。

山のあなた　　カアル・ブッセ

山のあなたの空遠く
「幸《さいはひ》」住むと人のいふ。
噫《ああ》、われひとゝ尋《と》めゆきて、
涙さしぐみ、かへりきぬ。
山のあなたになほ遠く
「幸」住むと人のいふ。

牧水自身もある人に宛てた手紙の中でこの詩を引用しているので、影響関係があったことは間違いないところでしょう。もともと恋い慕う女性の姿を心中深く秘めての旅であったこともあり、この一首を含む一連にはそうした恋愛に伴う切ない思いが響いていることも見逃せません。そのような気持ちの表れともいえる絶唱が、次の一首です。

白鳥は哀しからずや空の青海のあをにも染まずただよふ

こちらは第一歌集『海の声』にすでに収録されていた、より早い時期の作品ですが、『別離』に組み込まれ、他の一連とともに味わうとなると、また違った意味を持ってきます。短歌の連作には、そうした編集意識もはたらくのです。

（島村　輝）

現代短歌の祖は茂吉？ 啄木？

正岡子規が「歌よみに与ふる書」を著してから今日にいたるまで、一二〇年あまり、その年月はけっして短くはなく、子規が当初にもくろんだ「短歌革新」の出発点からみれば「短歌」の姿はたいへんな変貌を遂げたといっていいと思います。

「写生」を標榜して写実主義の考え方や表現方法を基調にした正岡子規、伊藤左千夫らにしても、「抒情」を主眼にして浪漫主義的な詠いぶりを目指した与謝野晶子、若山牧水らにしても、「近代短歌」の先駆けとなった歌人たちの作品には、やはりその表現に時代性の制約を感じざるをえないところがあると思います。そうした中で「近代短歌」から「現代短歌」への決定的な橋渡しの役割を果たした歌人といえば、やはり齋藤茂吉を挙げなければならないでしょう。その第一歌集『赤光』（一九一三年〈大正二〉）には、

　にんげんの赤子を負へる子守りこの子守はも笑
　はざりけり
　この心葬《はふ》り果てんと秀《ほ》の光る錐《きり》を畳にさしにける
　かも

といった、心の深淵を覗き込むような不気味さ、不穏さを感じさせる歌が現れていますが、それは続く第二歌集『あらたま』（一九二一年〈大正一〇〉）で最高潮に達します。

　ふり灑《そそ》ぐあまつひかりに目の見えぬ黒き蝗《いとど》を追ひ
　つめにけり
　十方に真ぴるまなれ七面の鳥はじけむばかり膨《ふく》れ
　けるかも

茂吉とはまたガラリと違った側面から「現代」に生きる者たちの心に訴える歌人といえば、石川啄木でしょう。『一握の砂』は『赤光』に先駆けて一九一〇年に刊行されています。

　人間のつかはぬ言葉
　ひよつとして
　われのみ知れるごとく思ふ日

　あたらしき心もとめて
　名も知らぬ
　街など今日もさまよひて来ぬ

啄木の歌は、三行分かち書きという形式の面とともに、なによりもその飾り気を排した、直截な叙情のほとばしりが心を打つものです。茂吉といい啄木といい、その後世に与えた影響は計り知れません。（島村　輝）

89

遠足の小学生徒有《う》頂天《ちょうてん》に大手ふりふり往来通る

木下利玄《きのしたりげん》

（『紅玉』）

木下利玄は岡山県の旧足守《あしもり》藩主木下家の一族に生まれ、学習院を経て東京帝国大学国文科を卒業しました。短歌ははじめ『心の花』に入会し、佐佐木信綱の門下として出発。学習院時代の旧友・武者小路実篤や志賀直哉らとともに『白樺』創刊にも加わりました。

この歌は一九一九年（大正八）刊行の『紅玉』に収録されています。すでに一九一六年に生後間もない長男を失っていた利玄でしたが、この頃一九一五年に満二歳にもならない次男を亡くし、傷心の中、妻と共に西に旅立ちました。落ち着いた先の九州別府で長女・夏子が生まれますが、これもまた半年ほどで亡くなってしまうのでした。この歌はまだ夏子を喪う前に詠まれたとみられます。続く一首は、

子供らは列をはみ出しわき見をしさざめきやめずひきゐられて行く

利玄は、この元気な小学生たちの様子に重ねて、新たに生まれた命の健《すこ》やかな成長を祈っているように感じられます。

（島村　輝）

90

蜑《あま》をのこ　あびき張る脚すね長に、赤き褌《へこ》高く、ゆひ固めたり

釈　迢空《しゃくちょうくう》

（『海やまのあひだ』）

釈迢空は、本名・折口信夫（おりくち・しのぶ）として、国文学者・民俗学者としても非常に大きな仕事をした人です。国学院大学在学中から短歌の制作を始め、一九一七年（大正六）に『アララギ』同人となります。一時は中心メンバーとなりますが後に離れ、一九二四年（大正一三）には北原白秋らと『日光』を創刊します。その独特の感性が表現された作品は、近代短歌史上でも異彩を放っています。

この歌は一九二一年（大正一〇）に壱岐島を旅行したときの体験に取材して作られました。海辺で魚介を獲る蜑の若い男性の、しなやかで、しかもたくましい姿を食い入るように見つめている作者の感覚がよく伝わってきます。旅先ということで、普段は抑圧されていた作者の性的指向《セクシャリティー》が解放され、この一首を含む連作に結晶したものといえましょう。

（島村　輝）

91

桜ばないのち一ぱいに咲くからに生命《いのち》をかけてわが眺《なが》めたり

岡本かの子

（『浴身』）

小説家としても知られる岡本かの子の、一三八首からなる「桜」連作の冒頭に置かれた歌です。桜の花が、その全身のエネルギーをいっぱいに放つようにして咲いている。だからそれに向き合っている私も、生きる命の全てをかけるような心持ちでそれを眺めているのだ、というほどの意味になります。

桜は古典和歌の世界でも非常に多く題材とされてきたものですが、近代に入ってからは詩や小説にもまた多く取り上げられました。梶井基次郎の「桜の樹の下には」（一九二八年〈昭和三〉）、坂口安吾の「桜の森の満開の下」（一九四七年〈昭和二二〉）などが代表的なものです。これらの作品は満開の桜の狂気じみた気配に触発されたものですが、かの子の連作は精力のほとばしりでるような冒頭歌から、その勢いに駆られるようにして、一気に後続の作品が生み出されていくような大らかな躍動感を持っていて、この歌人の特徴をよく表現しているといえるでしょう。

（島村　輝）

92

巨《おほひ》なる人のかばねを見んけはい谷はまくろく刻まれにけり

宮澤賢治

（歌稿「明治四十四年一月より」）

童話作家、あるいは詩人としての宮澤賢治の作品に親しんでいる人は少なくないことと思います。ある時期から国民的文学者といってもいいような人気を得た賢治ですが、その人と作品の全体像について、しっかりとした理解が共通のものになっているとはかならずしもいえません。「やまなし」「よだかの星」「銀河鉄道の夜」など、ポエジーに富んだ寓話やファンタジーを通して、また「雨ニモマケズ」を通して得られる賢治像は、彼の一面を表したものに過ぎないとも考えられます。自然科学者、教師、宗教者、社会運動家など、文学以外とされるような彼の活動を含めての全体像には、まだまだ解明の余地のある分野がたくさん残されていますし、文学者としての仕事だけを見ても、例えばここに掲げた短歌ジャンルの仕事については、生前発表された作品が少なく、大部分は「歌稿」として遺されたノートなどに記されたものであったため、今後深く読み進めていくための端緒についた段階といってもいいでしょう。

ここに掲げた短歌はそうした「歌稿」の中にあるもので、教師、生徒ともに臨《のぞ》んだ遠足の風景を詠んだ一連とみられるものの冒頭の一首になります。以下、

風さむき岩手のやまにわれらいま校歌をうたふ先生もうたふ
いたゞきの焼石を這ふ雲ありてわれらいま立つ西火口原
石投げなば雨ふるといふうみの面はあまりに青くかなしかりけり
泡つぶやく声こそかなしいざ逃げんみづうみの青の見るにたへねば
うしろよりにらむものありうしろよりわれらをにらむ青きものあり

と続きます。

一読して感じられるように、これらの歌に詠まれた風景は単なる自然の姿を写生的に描いたというようなものではなく、一種ただならぬ妖気のようなものが漂っていることがわかります。「巨なる人のかばね」の気配、「まくろ」な谷、石を投げると雨が降るという湖の湖面の青さ、そこから立ち上る泡のはじける音に、哀しみを感じるあまりいたたまれなくなるという心の動き、さらに何者かはわからないが「うしろよりわれらをにらむ青きもの」の存在のほのめかしなど、これらは宮澤賢治の文学世界のうちの、あまり知られていない暗い側面、賢治の「ダークサイド」につながる世界をその背後において いるように感じられます。

賢治の童話に「谷」という作品があります。その冒頭は、

楢渡のとこの崖は真っ赤でした。
それにひどく深くて急でしたからのぞいて見ると全くくるくるするのでした。
谷底には水もなんにもなくてたゞ青い梢と白樺などの幹が短く見えるだけでした。

となっています。賢治文学の奥深い淵を尋ねるためにも、その短歌はもっと味わわれてよいのではないでしょうか。

（島村　輝）

93

思ひきや東《ひがし》の国にわれ生《あ》れてうつつに今日の日にあはんとは

湯川秀樹《ゆかわひでき》

想像しただろうか、いや想像もしなかった。
現実に今日のこの日に逢うことができるとは。

（『深山木《みやまぎ》』）

湯川秀樹は、陽子や中性子の結合を媒介する中間子の理論的解明を行い、日本人として最初のノーベル物理学賞を受賞した物理学者です。また、古典文学を愛し、和歌を詠んで歌集『深山木』を発表しています。

この歌には、「昭和二十四年十二月、ノーベル賞授賞式に出席のため、ニューヨークよりここに来て」という詞書が記されています。「思ひきや」の「き」は過去の助動詞、「や」は反語です。「東の国」は日本、「今日の日」はノーベル賞授賞式のことです。第二次世界大戦敗戦にうちひしがれている日本を思いながら、湯川は夢のような舞台に立つ高揚を詠んでいます。

湯川は自らの和歌観も文章にしていて、「私自身の場合には、探究の対象は感覚的世界からずっと遠くにある。従って新古今などを理論づけ、能楽などで象徴される幽玄というようなものに、最も多く同感されるのである」と、物理学と幽玄（コラムｐ110）の親和性を指摘しています。

（谷　知子）

94

神はあらね摂理はあると影のごとふと隣人の呟《つぶや》きにけり

葛原妙子《くずはらたえこ》

（『原牛』）

早くから現代的な感覚性を特色とし、心の奥底に潜むような存在の不安や幽玄な美の閃《ひらめ》きを捉えることに長けた葛原妙子にはまた、キリスト教や西洋世界への関心も強く見られ、そうした題材をあつかった、独特の感性にあふれた作品を多く残しています。

「摂理」は、「人生の出来事や、人間の歴史は、神の深い配慮によって起きているという」ということで、『新約聖書』「ローマ人への手紙」第八章二八節の「神は、神を愛する者たち、すなわち、ご計画に従って召された者たちと共に働いて、万事を益となるようにして下さることを、わたしたちは知っている」という言葉がよく引かれます。この影のような「隣人」とは、どういった人なのでしょうか。「神」への信仰を持たない人ともいえるかもしれません。しかしキリスト教はまた「隣人への愛」を重視しています。「隣人」のこの言葉を聞いて揺らめく作者の心を、この歌はよく表現しています。

（島村　輝）

95

石垣島万花《ばんか》艶《にほ》ひて内くらきやまとごころはかすかに狂ふ

馬場あき子

（『南島』）

馬場あき子は、幅広い読者層を持つ歌人です。もともとは教員生活のなかで感得した働く者の視点から、社会性の強い歌を作っていましたが、そうした原点は、年齢を重ねた今日も見失われていません。

一九八七年（昭和六二）三月に初めて石垣島を訪れた作者は自解に「春と夏の花が一斉に咲き乱れ、この世のものとも思われぬ花の島であった。この花の下に戦禍の風土が眠り、戦死者や戦争の犠牲者の骨が埋まっていると思うと撩乱として咲き乱れる花の色もただの色とも思えぬ深い感銘が湧いた。／沖縄は近世以降、島津藩の攻略を受けて日本に服属して以来、島民にとっていいことは少しもない時代が長すぎた。殊に太平洋戦争での歴史に残る激戦の島にされてからの苦難は今日にまでつづいている。本土に住む私などはつねに沖縄に対してある負い目を感じないではいられない思いだ」と記しています（歌林の会「さくやこの花」89）。この歌にこれ以上の説明は不要でしょう。（島村　輝）

馬場あき子

96

たまきはるいのちの旅に吾《あ》をまたす君にまみえむ明日の喜び

美智子上皇后

いのちの旅に出る私を待っていらっしゃる
君と結婚の日を迎える明日の喜び。

（一九五九年四月九日）

ご成婚前日の歌です。「たまきはる」は「いのち」にかかる枕詞、「吾」は自分自身、「君」は当時の皇太子、現在の上皇のことです。「またす」はお待ちになっている、「まみえむ」は謁見、お目にかかるという意味ですが、ここでは結婚を意味しているでしょう。結婚を「いのちの旅」と呼び、当時の覚悟と高揚が伝わってくるような歌です。

もう一首引用しましょう。

風吹けば幼《をさな》き吾子《わこ》を玉ゆらに明《あか》るくへだつ桜ふぶきは

（『瀬音』）

「玉ゆらに」は『萬葉集』以来用例があり、「わずかの時間」という意味の歌ことばです。しかし、美しい玉が揺れるような語感があり、桜吹雪の風景と不思議な調和が取れています。「たまきはる」同様、伝統的な歌ことばが歌全体を引き締め、かつ優しくしています。

このようなことばだけでなく、美智子上皇后の歌には古典文学や和歌の伝統をふまえた例が数多く見られます。

若菜つみし香《か》にそむわが手さし伸べぬ空にあぎとひ吾子《わこ》はすこやか
（『瀬音《せおと》』）

「若菜」は、せり、なずなといった、早春の野に生える若草で、これを食べると邪気を払い、病気を除くことができると古来信じられました。現代の七草粥は、その名残りです。『百人一首』一五番光孝天皇の歌も、若菜摘みをモチーフにしています。引用しておきましょう。

君がため春の野に出《い》でて若菜摘むわが衣手《ころもで》に雪は降りつつ

（あなたのために、春の野に出て若菜を摘む私の衣の袖に、雪がしきりに降りかかることよ）

「あぎとひ」は、幼児が顎《あご》を動かして発する片言《かたこと》で、『古事記』で垂仁《すいにん》天皇の皇子ホムチワケが空高く飛ぶ白鳥の声を聞いて、初めて発した片言を「あぎとひ」と表現しています。こうした日本の古典文学をふまえたうえで、我が子の成長を言祝《ことほ》いだ歌なのです。

母を想う歌も紹介しましょう。

子に告げぬ哀《かな》しみもあらむを柞葉《ははそは》の母清《すが》やかに老《お》い給ひけり
（『瀬音』）

「柞」も、「母」を導くことばとして、古くから和歌に用いられてきました。

ちちの実《み》の　父の命《みこと》　柞葉《ははそば》の　母の命《みこと》（略）
（『萬葉集』巻一九・四一六四・大伴家持）

「子に告げぬ」の歌は、「は」音を繰り返しながら、「哀しみ」の重い内容を和らげ、「清やかに」へとつなげてゆきます。

美智子上皇后の歌は、短歌というより、和歌と呼ぶにふさわしい気がします。古典和歌の伝統が、みずみずしいことば続きによって現代に再現された歌の数々に、強く心を揺さぶられ、魅了される人は多いのではないでしょうか。

（谷　知子）

97

ジャージーの汗滲《し》むボール横抱きに吾《われ》駆けぬけよ吾の男よ

佐《さ》佐《さ》木《き》幸《ゆき》綱《つな》

（『群黎』）

二〇一九年（令和元）、日本で開催されたラグビーのワールドカップは、それまでこの競技になじみの薄かった人々をも惹きつけ、「にわかラグビーファン」が多く生まれたことは記憶に新しいことでしょう。ラグビー自体は日本にも早くから普及していて、文学としても竹中郁の「ラグビイ」（『象牙海岸』一九三二年〈昭和七〉所収）がよく知られています。フランスの作曲家、アルチュウル・オネガ（現在は「オネゲル」と表記されることが多い）の「交響的断章第二番『ラグビイ』」（一九二八年〈昭和三〉発表）に触発されて作られたこちらの詩は、モダニズム時代の「シネ・ポエム」の代表的作品といえます。

掲出した作品は佐佐木幸綱のもの。成蹊学園での中高時代はラグビー部とバスケットボール部の双方に所属するスポーツマンでした。早稲田大学に入学後はラグビー競技からは離れましたが、そのころ本格的に始めた歌作でも、このスポーツは大切なモチーフとなりました。「自分の中の純粋な男よ、ジャージーのユニフォームからにじみでた汗の滲《し》みた皮のラグビーボールを横抱きにして私の中を駆け抜けよ」、つまり「雑念をかかえた自分の中にある純粋な「男」よ、あらゆる障害をはねのけて突進せよ」というほどの意味です。『群黎』には、他にも、

ハイパントあげ走りゆく吾の前青きジャージーの敵いるばかり

という作品もあります。佐佐木幸綱の作風は「男歌《おとこうた》」と評されることが多く、特に「男性的」とされるラグビーのようなスポーツを題材とした作品ではその「男」として表象される性質が強調されるような表現になっています。そうした「男性」性の表象の仕方は、一方で「女歌《おんなうた》」において「女性」性が強調されることと表裏一体であり、今日の文学批評で大きな影響力を持つようになっている「フェミニズム批評」「ジェンダー論的批評」の観点からすれば、作者の立ち位置については議論の余地のあるところでしょう。掲出の一首は中学校の教科書などに採り上げられることもあり、教室で指導する際にはそうした角度からの批判的な読み方があることを考慮にいれておく必要があるかもしれません。佐佐木の門人で、次に触れる俵万智の、

奪い合うことの喜び一身にあつめてはずむラグビーボール （『サラダ記念日』）

と比較して考えてみるのも興味深いでしょう。

佐佐木幸綱は高名な歌人、佐佐木信綱を祖父に持ち、一族から多くの歌人、国文学者を生み出した名門に生まれました。そうしたことから感じる重圧も少なくなかったようで、同じく『群黎』の中には、

まざまざと佐佐木信綱の血を継げば凄惨にさらに研ぎゆく視線

と詠んだ一首もあります。

（島村　輝）

98

水無月は時の流れの匂う午後「もう」と思えり「まだ」と思えり

俵万智《たわらまち》

（『風が笑えば』）

一九八七年（昭和六二）、その昭和末期、バブル時代の軽さ、はかなさを短歌の形式に込めて表現した最初の歌集『サラダ記念日』で一世を風靡《ふうび》した俵万智。それから二五年を経て母となった彼女が、二〇一一年（平成二三）の東日本大震災を経験する中で詠み継がれた短歌を集めたのが、本作の収録された『風が笑えば』（二〇一二年〈平成二四〉）です。『サラダ記念日』では、

万智《まち》ちゃんを先生と呼ぶ子らがいて神奈川県立橋本高校

と初々しい新米教師ぶりを詠んでいた彼女ですが、その後の人生経験は、風景や人の心のとらえ方に大きな変化をもたらし、歌の調子も落ち着いたものとなっています。

「水無月」は旧暦六月、現在ではおよそ七月ごろにあたります。本来の意味は「水の無い月」ではなく「水の月」で、梅雨時、田が水で満たされるころを象徴しているとされ、かつての農耕を中心とした生活の中では、一年も半ばにい

たって、それまでの半年を振り返り、これからの半年を展望する区切りの時期といえるでしょう。本作もそうした「水無月」の語感がもたらす季節感を背景として、時の流れに思いをいたしているというのが表面上の意味となります。

もちろんそうした情緒を中心に置いた読み方をしても悪くはないのですが、最初に触れたように、この歌が詠まれたのが他ならぬ二〇一一年であることに注目すると、この「水無月」の「もう」や「まだ」が一般的な時の経過に対する思いとして詠まれているわけではなく、「三・一一」というあの出来事からの「もう」であり「まだ」であることに気づくはずです。『風が笑えば』に収録された彼女のエッセイには、東日本大震災が起こった春から冬までの一年間が順を追って書かれており、仙台で息子さんと暮らしていた彼女が、転々とした後、南の島に移り住んで暮らしている様子も記されています。困難な中で、母親として子どもに向ける思いは、

何よりも大事なことと思うなりこの子の今日に笑みがあること

という一首に、印象深く詠みこまれています。

『サラダ記念日』は当時二八〇万部を売り上げ、一九八七年度ベストセラーランキングの第一位となって、短歌の世界ばかりではなく、社会現象として大きな話題となりました。

「この味がいいね」と君が言ったから七月六日はサラダ記念日

「嫁さんになれよ」だなんてカンチューハイ二本で言ってしまっていいの

『サラダ記念日』といえばこうした歌が有名で、そのジェンダー固定的な詠みぶりは気になりますが、後年の成熟を予感させる独特の味わいを持つ作品も多く、やはりただのブームに乗っただけの歌人ではなかったことを証明しているといえるでしょう。

（島村　輝）

99

川の瀬に捨てられし古き自転車を隠すがごとく落花《らっか》群がる

アーサー・ビナード

（『空からやってきた魚』）

アーサー・ビナードは、米国出身の詩人・随筆家です。彼は一九九〇年（平成二）に来日して日本語を学び、日本語での創作を始めました。『釣り上げては』（二〇〇〇年、思潮社）で中原中也賞、『日本語ぽこりぽこり』（二〇〇五年、小学館）で講談社エッセイ賞を受賞するなど、多方面で活躍しています。冒頭の短歌は、そんな彼の初めてのエッセイ集に織り交ぜられているものです。川に不法投棄された自転車に群がる「落花」は、エッセイを読んでいくと、川を泳ぐ魚の比喩であることがわかります。「隠すがごとく落花群がる」は、魚を「落花」に見立て、さらに意思があるかのように表現した、いわば現代の「見立て」です。この他にもエッセイ集には、「新聞の勧誘くれば日本語のニの字も知らぬガイジンとなる」などのユーモラスな歌も収録されています。英語と日本語を生かし、何気ない日常を独自の視点から捉えた彼の作品の多くは、言語や社会の問題にも切り込んでいるという特徴が見られます。

（田中里奈）

100

目を伏せて空へのびゆくキリンの子月の光はかあさんのいろ

鳥居《とりい》

（『キリンの子』）

一読するとファンタジックな雰囲気にも感じられるようなこの作ですが、その背後には作者・鳥居の壮絶な人生経験が秘められています。鳥居が二歳の頃に両親は離婚、母子二人の暮らしが続きます。しかし、彼女が小学五年生のとき母親は睡眠薬を大量に服用し、自殺を遂げてしまうのでした。

その後も壮絶な人生を歩んできた彼女ですが、現在の心境は「やっぱり、生きてる方がいいですよ。／生きてたら、知らなかったことを知ることができます。今まで想像もしなかったような人に会ったり、考えもつかなかったような意見を知ったり。（略）想像がつかない未来が訪れるから、だから生きてた方がいい」（#withyou インタヴュー #42）。

「生きづらいなら、短歌をよもう」というコンセプトのもと、さまざまな試みを主催している彼女こそ、まさに現代にあっての短歌の果たすべき役割や可能性を体現しているといっていいでしょう。

（島村　輝）

鳥居

「短歌的叙情」なんて昔の話？
自動生成する「超・現代短歌」

「天狗俳諧」というものをご存じでしょうか。俳句の上五・中七・下五を三人各自が随意に作り、紙片に記したものを無作為に組み合わせて一句とする遊戯で、偶然できた面白い句や意味の通じない句などに興じる「ことば遊び」の一種といえます。

近代に入ってからの文芸は、散文にしても韻文にしても、個としての「作者」の存在と、その内面をくぐりぬけた表現ということを前提にしています。そういう意味で、座を共有する人々のお互いの感覚の交流のなかで作りあげられていく「連歌」や「連句」は、「近代文学」の中には入らないものという扱いを受けてきました。「天狗俳諧」などはその最たるものとして、およそ「文学」扱いされずに軽んじられてきました。

しかしよく考えてみれば五・七・五という形式が整っていれば、こんな「ことば遊び」も、それなりの面白みを持つ、というのは不思議なことです。俳諧の発句＝俳句の形式がなければ、ただのデタラメとなってしまい、「遊び」としての面白みは、生まれてくる筈がありません。

これが俳句の形式でできるならば、短歌でやってみたらどうなるか、興味深いものがあるのではないでしょうか。今はその試みを簡単に実現することができます。それはインターネット上にある「短歌生成」サイト（https://jtanka.com/）です。このサイトを開けば、誰にでもAIによって「短歌」を自動的に生成させることができます。ひとつやってみましょう。

三度目は裏返っても海辺ゆく思いつかない手にして遊ぶ

一番に気持ちはだれにも大文字迷惑だからうるさいったら

つらいのはまだこないまま秋空をそろそろ歩くごほうびみたいに

これらはたった今この「短歌生成」サイトで発生させた「超・現代短歌」、作者はAIです。いかがでしょうか。「意味が通じない」といえば、たしかに「通じない」ともいえます。けれども空白とみられる部分を補って解釈すれば、「短歌」として何らかの「意味」を伝えようとしているようにも読めます。なぜそんなことが起こるのか。それは日本語の五・七のリズムの音楽性といえるものによるのかもしれません。それが「短歌的叙情」の秘密、ともいえるでしょう。（島村　輝）

和歌・短歌を学ぶための読書案内

和歌・短歌を学ぶための読書案内を掲載します。本書の解説・コラムを執筆するにあたって参考にした文献も含みますが、個々の和歌の参考文献は割愛し、通史的なものに限定しました。ご寛容ください。

【入門書】

＊和歌

久保田淳・野山嘉正・堀信夫編・小学館辞典編集部『日本秀歌秀句の辞典』（小学館）
谷知子『和歌文学の基礎知識』（角川選書　KADOKAWA）
鈴木健一『知ってる古文の知らない魅力』（講談社現代新書　講談社）
鈴木健一『古典詩歌入門』（岩波書店）
久保田淳『ことばの森―歌ことばおぼえ書』（明治書院）
渡部泰明『和歌とは何か』（岩波新書　岩波書店）
和歌文学会監修『コレクション日本歌人選1期・2期・3期・4期』（笠間書院）
久保田淳・長島弘明『名歌名句大事典　歳時・人・自然』（明治書院）
久保田淳『花のもの言う　四季のうた』（岩波現代文庫　岩波書店）
渡部泰明編『和歌のルール』（笠間書院）
谷知子『古典のすすめ』（角川選書　KADOKAWA）
小田勝『読解のための古典文法教室』（和泉書院）
渡部泰明『和歌史　なぜ千年を越えて続いたか』（角川選書　KADOKAWA）

＊短歌

岡井隆『今はじめる人のための短歌入門』（角川ソフィア文庫　KADOKAWA）
永田和宏『近代秀歌』（岩波新書　岩波書店）
秋葉四郎・岡井隆・佐佐木幸綱・馬場あき子　監修『決定版　短歌入門』（角川短歌ライブラリー　KADOKAWA）
永田和宏『現代秀歌』（岩波新書　岩波書店）
穂村弘『はじめての短歌』（河出文庫　河出書房新社）

【事典】

＊和歌

久保田淳・馬場あき子編『歌ことば歌枕大辞典』（角川書店）
「日本文学 Web 図書館」（古典ライブラリー）

＊短歌

篠弘、馬場あき子、佐佐木幸綱　監修『現代短歌大事典』（三省堂）
岡井隆　監修『岩波　現代短歌辞典』（岩波書店）

【注釈・解説書】

『新潮日本古典集成』（新潮社）
『新日本古典文学大系』（岩波書店）
『新編日本古典文学全集』（小学館）
久保田淳監修『和歌文学大系』（明治書院）
『日本近代文学大系』（角川書店）

【講座】

『鑑賞日本現代文学』32『現代短歌』（角川書店）

【執筆者紹介】（掲載順）　★は編者

松田　浩（まつだ・ひろし）
1972年生まれ。慶応義塾大学博士課程単位取得。文学修士。フェリス女学院大学文学部日本語日本文学科教授。専攻は上代文学。共編著に『古典文学の常識を疑う（I・II）』（勉誠出版）、論文に「梅花の宴歌群「員外」の歌―大伴旅人の〈書簡〉の中で読む」『文学』（第16巻3号・岩波書店）など。

竹内正彦（たけうち・まさひこ）
1963年生まれ。國學院大學大学院博士課程後期単位取得。博士（文学）。フェリス女学院大学文学部日本語日本文学科教授。専攻は中古文学。著書に『源氏物語発生史論―明石一族物語の地平―』（新典社）、『2時間でおさらいできる源氏物語』（だいわ文庫　大和書房）など。

宋　晗（そう・かん）
1987年生まれ。東京大学大学院博士課程修了。博士（文学）。フェリス女学院大学文学部日本語日本文学科准教授。専攻は平安朝漢文学、六朝文学。著書に『平安朝文人論』（東京大学出版会）、論文に「「詠懐詩」における回想の手法」『東方学』一四一など。

谷　知子（たに・ともこ）★
1959年生まれ。東京大学大学院博士課程単位取得。博士（文学）。フェリス女学院大学文学部日本語日本文学科教授。専攻は和歌文学。著書に『和歌文学の基礎知識』（角川選書　KADOKAWA）、『ビギナーズ・クラシックス　日本の古典　百人一首（全）』（角川ソフィア文庫　KADOKAWA）など。

小野結菜（おの・ゆいな）
1999年生まれ。フェリス女学院大学文学部日本語日本文学科学生。

勝田耕起（かつた・こうき）
1970年生まれ。東北大学大学院博士課程単位取得。修士（文学）。フェリス女学院大学文学部日本語日本文学科教授。専攻は日本語史。著書に『国語辞典女子 今日から始める日本語研究』（フェリス女学院大学）、論文に「平安鎌倉時代のサカルとサガル」『国語学研究』五九など。

榎田百華（えのきだ・ももか）
1998年生まれ。フェリス女学院大学文学部日本語日本文学科学生。

栃原茅乃（とちはら・かやの）
1998年生まれ。フェリス女学院大学文学部日本語日本文学科学生。

吉田弥生（よしだ・やよい）
1967年生まれ。学習院大学大学院博士前期課程修了。博士（日本語日本文学）。フェリス女学院大学文学部日本語日本文学科教授。専攻は近世文学・演劇学。著書に『江戸歌舞伎の残照』（文芸社）、『黙阿弥研究の現在』（雄山閣）、『歌舞伎と宝塚歌劇―相反する密なる百年―』（開成出版）など。

佐藤裕子（さとう・ゆうこ）
1957年生まれ。関西学院大学大学院博士課程単位取得。博士（文学）。フェリス女学院大学文学部日本語日本文学科教授。専攻は日本近現代文学。著書に『漱石解読―〈語り〉の構造』（和泉書院）、『漱石のセオリー―『文学論』解読』（おうふう）など。

島村　輝（しまむら・てる）★
1957年生まれ。東京大学大学院博士課程単位取得。文学修士。フェリス女学院大学日本語日本文学科教授。専攻は日本近現代文学・藝術表象論。著書に『臨界の近代日本文学』（世織書房）、『読み直し文学講座Ⅳ　志賀直哉の短編　小説を読み直す』（かもがわ出版）など。

田中里奈（たなか・りな）
1979年生まれ。早稲田大学大学院博士後期課程修了。博士（日本語教育学）。フェリス女学院大学文学部日本語日本文学科准教授。専攻は日本語教育。著書に『言語教育における言語・国籍・血統――在韓「在日コリアン」日本語教師のライフストーリー研究』（明石書店）、論文に「日本語教育学としてのライフストーリー研究における自己言及の意味－在韓「在日コリアン」教師の語りを理解するプロセスを通じて」『日本語教育学としてのライフストーリー―語りを聞き、書くということ』（くろしお出版）など。

和歌・短歌のすすめ――新撰百人一首

二〇二一年二月二五日　初版第一刷発行

編者……谷 知子
島村 輝
装幀……山元伸子
発行者……橋本 孝
発行所……株式会社花鳥社
https://kachosha.com/
〒一五三-〇〇六四 東京都目黒区下目黒四-十一-十八-四一〇
電話〇三-六三〇三-二五〇五
ファクス〇三-三七九二-二三二三
ISBN978-4-909832-34-4

組版……ステラ
印刷・製本……太平印刷社
乱丁本・落丁本はお取り替えいたします。